alys
robi
ma carrière et ma vie

LES ÉDITIONS QUEBECOR
Une division du GROUPE QUEBECOR INC.
225, rue Roy est
Montréal, Qué. H2W 2N6
Tél.: (514) 282-9600

Distributeur exclusif:
AGENCE DE DISTRIBUTION POPULAIRE INC.
955, Rue Amherst
Montréal, Qué. H2L 3K4
Tél.: (514) 523-1182

alys robi

ma carrière et ma vie

EDITIONS

Quebecor

Si je n'avais pas travaillé ce livre en toute confiance avec mon ami Jean Côté, je n'aurais pas eu le courage de raconter dans le détail les grandes étapes de mon existence tourmentée.

Alys Robi

Sommaire

Au Mocambo
Quand tu chantais «Tico, Tico»,
Les nuits de Montréal
Valaient bien celles d'la Place Pigalle
Les chas, chas, les mambos
Et les hommes étaient beaux
Souliers blancs et panamas

Quand ils entraient cigare au bec
Ils crachaient leurs dollars
Pour écouter chanter une star
La première star au Québec
Et quand vers minuit
S'avançait le maître de cérémonie
Il disait: «La voici
Alys Robi»

Tu paraissais
Et tu chantais «Tico, Tico»
Tu faisais tout un show
Portée par les bravos
Le maire et la Mafia
Tout l'monde était là
À tes pieds
C'était comme au cinéma

Tu voyais ta vie
Comme un film en cinémascope
C'était toi la reine des années quarante
Aux États-Unis

Tu devais arriver au top
Et de soir en soir
Tu poursuivais ta gloire
Comme une étoile filante

Hôtels de luxe, avion privé
Et lumières de Broadway
Oui, c'était toi «Alys»
Au pays des merveilles
Mais derrière le miroir
On ne trouve pas toujours le soleil
Un beau jour, tout a craqué

Tu vivais ta vie
Comme un film en cinémascope
C'était toi la reine des années quarante
Comme n'importe qui
T'as eu des hits, t'as eu des flops
Mais les années noires
Sont loin dans ta mémoire
Aujourd'hui quand tu chantes

Quand tu chantes dans les clubs d'la Main
C'est encore toi la reine
Tous tes vieux fans sont là
Pour te tendre les bras
Et ton avion privé
T'attend pour t'emmener à Broadway
«Somewere over the rainbow»

Y'a sûrement des jours
Où tu voudrais pouvoir dire stop
Mais chanter

C'est ta façon
De rester vivante

Quand on voit sa vie
Comme un film en cinémascope
Parfois on fait des hits, parfois on fait des flops
Mais au moins on se dit
J'ai voulu arriver au top
Après tout, tant pis
Si on sait pas dire stop
Quand on voit sa vie en cinémascope
Quand on voit sa vie
En cinémascope

Paroles de Luc Plamondon
Musique de Germain
Gauthier
Chantée par Diane
Dufresne

Un cauchemar
de cinq ans

— À quel endroit voulez-vous recevoir votre piqûre?

Il parlait sur un ton qui ne souffre pas de réplique et la peur, déjà en moi, me submergea.

— Une piqûre? Mais pourquoi?

— Pour votre traitement, répliqua froidement le médecin.

— Un traitement? Pourquoi?

— Pour vous guérir.

Ce dialogue sans issue me confirma dans mes craintes. Si j'avais demandé «Pour me guérir de quoi?» le médecin aurait sans doute été aussi évasif, en me disant: «De votre maladie.»

Il attendait toujours au pied du lit et, soudainement, lasse de tout ce qui m'arrivait, je lui dis doucement:

— Docteur, c'est vous qui êtes le médecin. En conséquence, vous devez savoir à quel endroit vous allez me donner la piqûre.

J'avais envie de pleurer, mais je retins mes larmes. Je sentais, avec cette piqûre, que mon monde d'hier s'effondrait, que j'entrais dans une dimension pleine de points d'interrogations et de dangers inconnus.

Nous étions en 1948, l'année de la réélection de Maurice Duplessis et de l'adoption du fleurdelisé comme drapeau officiel du Québec.

Dans le but de situer l'époque de ma «descente aux

enfers», ce que j'ai appelé plus tard un «enlèvement planifié», il me faut faire comprendre aux lecteurs (les jeunes surtout) à quel point les années clôturant l'effroyable conflit mondial (1939-1945) ont été difficiles et laborieuses pour tous ceux et celles qui voulaient s'exprimer au théâtre, en littérature et dans la chanson. Auteurs et interprètes connus se comptaient sur le bout des doigts: Henri Letondal, Henri Deyglun, Gratien Gélinas qui, après ses «fridolinades», inventa le personnage de «Ti-Coq», donna le ton à la création théâtrale. Paul Dupuis, produit de la troupe «Les Compagnons du Saint-Laurent», émergea de l'inconnu, de même que Roland Chenail, Robert Gadouas, Antoinette et Germaine Giroux, Mia Riddez, Denyse Saint-Pierre, Huguette Oligny, Roger Garceau et quelques autres. 1948, c'est aussi Paul-Émile Borduas, et son manifeste Refus global qui fit tant de bruit, Alain Grandbois, Saint-Denys Garneau, Anne Hébert, Philippe Panneton (Ringuet), Germaine Guèvremont, Claude-Henri Grignon. J'ai connu intimement ou croisé à plusieurs reprises la plupart de ces personnages dont le talent s'imposait dans leur domaine respectif. Mais la colonie artistique québécoise se résumait à une poignée d'individus s'efforçant de contrebalancer l'énorme influence américaine, omniprésente. Nous étions littéralement inondés de troupes et d'artistes anglophones et français qui considéraient le Québec comme pays conquis.

Mon succès, énorme à l'époque, et celui de quelques autres laissaient présager une réorientation des goûts des Québécois.

Au moment où tous mes problèmes ont surgi... pour m'ensevelir peu après pour une période de cinq longues années, ma jeune carrière avait atteint des sommets. Dans mon domaine, j'étais quelqu'un, une ambassadrice reconnue du Québec, une artiste en pleine gloire.

À vingt-trois ans, sans forfanterie, je pouvais dire, en

voyant le nom d'Alys Robi scintiller en lettres géantes à la devanture des plus grands établissements, que la gloire s'attachait à mes pas, que tout était possible.

Sollicitée de toutes parts, je voyageais beaucoup, me partageant entre Montréal, Toronto, Los Angeles, Paris.

Invitée à Londres, pour chanter au fameux «Orchid Room» de l'hôtel Mayfair, j'eus, dès le premier soir, un succès triomphal couronné par la présence de nombreuses célébrités internationales. Dans l'assistance, il y avait entre autres David Niven, le grand acteur, S. A., le prince Ali Khan, le comte et la comtesse de Dudley, le comte d'Hardwick, Lord Hurburham, le Maharahjah de Jaïpur, l'Émir de Shalon et de nombreuses autres personnalités.

Durant mon séjour très fructueux à Londres, au cours duquel je multipliai les contacts professionnels, rencontrant impresarios, acteurs de cinéma, producteurs, littérateurs, je fus également invitée à participer à deux émissions de la BBC (British Broadcasting Corporation, Londres) aux cotes d'écoute impressionnantes, le Carol Lewis Show et Accordeon Club. Comblée, il ne se passait pas une journée sans qu'on ne me fasse une proposition intéressante.

Pour une petite Québécoise issue d'un milieu modeste et élevée dans un quartier populaire de la Vieille Capitale, il y avait de quoi être fière. Que de chemin parcouru depuis mes débuts dans les salles paroissiales et les scènes de cinéma locales où, entre deux films, je donnais mon numéro.

Ce soir-là, au «Orchid Room», je réalisai pleinement mon ascension vers les sommets. Encore très jeune, en pleine possession de mon talent et de ma santé, adulée de mes nombreux publics, sollicitée et courtisée, je me disais et me répétais, avec une belle certitude: «Pour toi, Alys, the sky is the limit...» Oui, tout me souriait. C'était comme si j'avais bu une potion magique... comme si une bonne

19

fée, dans mon sillage, matérialisait mes rêves les plus fous, mes espoirs les plus utopiques. Je voulais devenir une grande artiste, être respectée; c'était mon but dans la vie. Oui, aller plus loin, toujours plus loin, était ma devise, ma hantise, ma chimère, mieux, ma raison de vivre. J'avais tout sacrifié à mon métier et il me le rendait bien. J'espérais, avec le temps, du travail et un peu de chance, devenir la première Québécoise à obtenir une consécration internationale. Certes, je ne manquais pas d'ambition. J'avoue qu'elle me dévorait, mais j'acceptais, de toutes les fibres de mon cœur, qu'il en soit ainsi.

Je n'avais pas travaillé d'arrache-pied, tout au long de mon adolescence, pour m'arrêter à la croisée des chemins, en me disant, tel le renard de la fable, que les raisins étaient trop verts. Je voulais aller plus loin, toujours plus loin, là où d'autres «monstres sacrés» avaient trouvé refuge dans une sorte de cité interdite au commun des mortels. Et pour y arriver — une simple place au soleil ne me suffisait pas —, je me sentais prête à affronter les pires obstacles, nombreux dans le domaine où j'évoluais.

Mon succès n'était pas le fruit du hasard et de l'improvisation, mais le résultat d'un travail ardu et d'une longue planification.

La vie, on le verra, n'est pas qu'une succession de coups de chance, pas plus que l'ambition et le talent ne sont des boucliers contre l'adversité. Je me trouvais à Mexico, où je poursuivais ma carrière, lorsque je décidai de revenir au Québec, en passant par Los Angeles. J'avais mis les bouchées doubles depuis plusieurs années, n'hésitant pas à m'expatrier pour amorcer ma carrière internationale, et je considérais qu'un peu de répit me ferait du bien.

Je me sentais d'ailleurs assez fatiguée, irritable, avec tout au fond de moi-même quelque chose que j'identifiais à une vague détresse. À vivre sur la barricade, dans le feu de l'action, on oublie de se prémunir contre la fatigue nerveuse. A vrai dire, confiante dans les ressources de ma jeunesse, je me croyais inébranlable. Les longues nuits à chanter dans les cabarets, les déplacements continuels, une alimentation déréglée hypothèquent à la longue la santé la mieux assise. Depuis plusieurs semaines, je notais des changements dans ma mécanique, comme je le disais en badinant, un ensemble de maux bénins plutôt qu'une douleur localisée, précise. Ma digestion était laborieuse, mes maux de tête fréquents, sans compter d'autres petits malaises inhérents à la nature féminine. Ces inconvénients ne m'inquiétaient pas outre mesure, mais je considérais qu'une artiste, pour donner à son public le meilleur d'elle-même, devait être en grande forme. Aussi décidai-je de mettre le cap vers le Québec.

Professionnellement, j'étais assez satisfaite. Les contrats affluaient, je multipliais les contacts profitables et je gagnais suffisamment d'argent pour ne pas m'inquiéter du lendemain.

Mais une raison presque viscérale m'incitait à me reposer. Le succès, l'argent, les ovations, les voyages à l'étranger ne me faisaient pas oublier le Québec, ma terre natale, ce coin du monde où je me sentais chez moi plus que n'importe où ailleurs.

Je n'appartenais pas à cette catégorie d'artistes qui pensent et disent que l'herbe dans le jardin du voisin est plus verte que dans le leur ou qui brûlent ce qu'ils ont adoré dans le passé. Ce type de snobisme m'a toujours souverainement déplu et je n'ai jamais caché mes origines modestes.

Bien au contraire, mes absences me firent aimer et apprécier davantage ce pays des rives du Saint-Laurent où vivaient les êtres chers que j'aimais par-dessus tout, ma famille, mes amis et tous ceux-là qui, d'une façon ou d'une autre, avaient contribué à faire d'Alys Robi une étoile au firmament des vedettes. Partout, je gardais la nostalgie du coin de terre qui m'avait vu naître.

Mes racines étaient là et je sentais, au plus profond de moi-même que, nonobstant les implications de ma carrière, j'y retournerais toujours, tel un marin à son port d'attache. «Quoi qu'il arrive, me disais-je, en mon for intérieur, je reviendrai chez moi, car c'est là que je me sens bien et vraiment heureuse.»

Je pouvais me permettre, si je le voulais, de prendre de longues vacances. Je disposais d'un petit capital rondelet administré par un avocat de Montréal, à qui j'avais confié la majeure partie de mes affaires personnelles.

Alys Robi n'était pas au bord de la mendicité. Je gagnais largement ma vie et ce n'était pas une courte interruption qui allait m'appauvrir.

Ma décision de revenir à Montréal fut donc facile à prendre. Je reverrais les êtres que j'aimais, j'en profiterais pour subir un examen général et je me reposerais durant un mois. Après quoi, je reprendrais la route, plus forte et plus aguerrie pour faire face aux fatigues du métier, un métier harassant mais combien passionnant.

Je revins à Montréal, par une belle journée d'automne. Les feuilles rougeoyaient. J'ai toujours aimé cette période de l'année et je me promis d'aller flâner du côté des Laurentides, durant ma convalescence. Je pourrais même, le cas échéant, habiter le chalet d'un ami, un nid original accroché au flanc d'une montagne. Néanmoins, ça ne me servait à rien de mettre la charrue devant les bœufs. Je devais consulter mon médecin personnel, alors attaché à l'hôpital Saint-Luc, et lui confier dans le détail mes problèmes de santé. Il me fixa un rendez-vous et, dans l'intimité de son cabinet, je lui fis part de mes inquiétudes.

Mais un examen, des médicaments à prendre et des bons conseils ne suffisaient pas. Mon état physique nécessitait, je le sentais, une période de repos, une relâche; j'avais besoin aussi de voir autour de moi autre chose que des néons rutilants ou des décors alambiqués de cabarets. Je savais que plusieurs personnalités québécoises du monde des affaires ou de la politique se réfugiaient au sanatorium Prévost pour refaire leur plein d'énergie. Lorsqu'ils étaient à bout de souffle, des amis à moi y trouvaient une retraite sûre pour une quinzaine de jours ou davantage. Cette solution me plaisait assez et j'en parlai à mon médecin.

— En effet, ce n'est pas une mauvaise idée, dit-il.

— Docteur, pourriez-vous faire le nécessaire pour mon admission?

— Rien de plus facile, Madame Robi. Combien de temps comptez-vous y rester?

— Le temps nécessaire pour me soigner et me reposer.

Aujourd'hui, quand il m'arrive de replonger dans le passé et de coller les pièces éparses qui sont le prélude à mon long calvaire, je ne peux m'empêcher de frissonner. Comment mon internement a-t-il pu se matérialiser sans que personne ne soit prévenu, à l'insu de mes parents et de mes amis, contre ma propre volonté?

Ces détails sont pertinents au récit, car ils soulignent d'une façon dramatique que, même avec un nom, une réputation établie, on me «fit disparaître en douce de la circulation» sans que personne ne puisse vraiment s'y objecter. Aujourd'hui, de tels procédés susciteraient tout au moins une campagne de presse et l'intervention des pouvoirs publics.

En dépit du fait que je prenais une décision de tout repos, celle d'entrer au sanatorium Prévost pour une quinzaine de jours ou peut-être un peu plus, je me sentais intérieurement angoissée. Quelque chose ne tournait pas rond. J'étouffais... comme si on eût glissé autour de mon cou un collier trop serré. J'essayais de me raisonner. Tout n'allait pas si mal et ce sentiment d'angoisse ne s'expliquait que par ma mauvaise condition physique.

Mais quelque chose — mon instinct sans doute, plus que mon intuition — m'avertissait d'un danger inconnu. Quelle forme prendrait-il? À quel moment la trappe s'ouvrirait-elle sous mes pieds? À ce jour, je n'avais jamais ressenti un tel désarroi. Je n'ose mentionner le mot peur, mais à bien y penser, en procédant au découpage du drame que le sort m'a fait vivre, dans la solitude désespérante d'une cellule de Saint-Michel-Archange, un asile d'aliénés, il n'y a pas d'autre mot pour exprimer mon état d'âme. J'étais terrorisée par une «chose inconnue» qui allait m'arriver et je sentais son souffle dans mon dos.

Quelques jours avant mon admission à Prévost, je fis part de mes appréhensions à Juliette Huot. J'avais confiance en elle. À diverses occasions, elle s'était montrée compréhensive, pleine de sollicitude à mon égard.

— Je ne sais pas ce qui se passe, mais j'ai une drôle d'intuition... comme un malheur qui me pend au bout du nez.

— Tout va très bien aller, Alys. Il n'y a pas lieu de t'inquiéter. Y a-t-il quelque chose de particulier qui te tracasse?

Elle ne comprenait pas très bien mon intervention auprès d'elle, car elle savait que j'étais en pleine gloire, au sommet de la pyramide, là où se retrouvaient quelques privilégiés du Showbizz.

— C'est plus fort que moi... il faut que je le dise à quelqu'un, Madame Huot. C'est comme un démon qui me harcèle. Je ne peux pas vous dire pourquoi, mais je suis au bord de la panique.

— Tu as trop travaillé. Ça te fera du bien de mettre la pédale douce. Tu as pris une sage décision, Alys, enchaîna-t-elle, après que je lui eus confié mon projet de m'installer quelques semaines au sanatorium Prévost.

— Oui, je sais, Madame Huot.

J'avais peine à trouver mes mots et l'angoisse me talonnait à nouveau. J'aurais voulu aussi qu'elle soit là pour me jeter dans ses bras et pleurer tout mon saoul. Je devais avoir l'air pitoyable, car elle reprit, infiniment compatissante.

— Voyons, mon petit, reprends-toi. Chasse tes idées sombres. Ce n'est qu'un mauvais moment à passer. Tu es jeune, solide, jolie, en pleine gloire... tu as tout pour toi, conclut-elle, encourageante.

Je voulais bien partager son optimisme, mais ce n'était pas aussi simple que ça.

— Vous avez peut-être raison, Madame Huot, mais puis-je vous demander un grand service?

— Bien sûr, Alys.

— Voilà, je ne sais pas ce qui va se passer, j'ai de sombres pressentiments... qui ne sont peut-être pas justifiés, mais c'est exactement comme si je marchais dans les ténèbres; si je m'écoutais, je pleurerais comme une Madeleine.

— C'est la fatigue accumulée, expliquait Madame Huot, maternelle. Nous avons un métier exigeant. Il faut s'arrêter une fois de temps à autre pour reprendre son souffle. Qu'est-ce que tu attends de moi au juste?

— J'aimerais que vous ayez un œil sur moi... que vous ne me laissiez pas sans nouvelles.

— Je le ferai, Alys, ça me fera plaisir, promit-elle. Entre à Prévost et après, on verra.

Je la quittai sur ces mots encourageants mais, durant les cinq années qui suivirent, je n'entendis pas parler de Madame Huot. Tenta-t-elle de franchir le mur qu'on avait dressé autour de moi?

C'est possible, si j'ajoute que mon père, malgré diverses tentatives pour me voir à l'asile, me rencontra une seule fois en présence d'une religieuse. Madame Huot fut la dernière personne à qui j'ouvris mon cœur, avant d'entrer au sanatorium Prévost, pour un repos de deux semaines... qui s'éternisa cinq ans. Mes pressentiments ne me trompèrent pas. Dans une cellule exiguë, fermée par une grille de fer, j'allais vivre une atroce expérience, accentuée par la peur de sombrer à tout jamais dans la folie. La grille rebutante de ma cellule donnait sur un corridor étroit où s'alignaient d'autres cellules comme la mienne. Et pour ajouter à mon désespoir, à l'effarante lassitude qui s'emparait de moi, jour après jour, des haut-parleurs diffusaient à tue-tête mes derniers succès... musique qui servait surtout à étouffer les cris et les lamentations de malheureux qui s'enlisaient dans un monde aussi cauchemardesque que celui dans lequel ils vivaient.

Mes chansons véhiculaient le rythme et la joie de vivre, mais il aurait fallu beaucoup plus que ça pour ranimer ou secouer la torpeur des morts-vivants que je croisais dans la grande salle commune où nous nous retrouvions quotidiennement, comme des âmes en peine, à la remorque de notre désespoir.

CHAPITRE 2

Mon enfance

Née le 3 février 1923, sur la même rue que l'auteur des Plouffe, *Roger Lemelin, je n'eus pas une enfance comme celle des enfants ordinaires, dont les cris emplissaient les rues étroites du «faubourg à m'lasse» des années précédant la grande crise de 1929.*

Mon père, Napoléon Robitaille, était le fils de Simon-Napoléon, contremaître chez Duchesne, une industrie prospère de la Vieille Capitale. Ma mère vécut une partie de sa vie à L'Islet où son père était grand confiseur.

Je me rappelle que mon grand-père paternel racontait avec verve la petite histoire généalogique de la famille. «L'ancêtre, expliquait-il avec forces gestes, s'installa à Trois-Pistoles, venant du Pas-de-Calais, en France. Ce gaillard, tenez-vous bien, mesurait 6 pieds et 6 pouces (1,98 mètre) et il s'installa en permanence en Nouvelle-France, avec ses dix fils.»

Selon mon grand-père, fort documenté, les Robitaille s'étaient multipliés, contractant même des unions avec des femmes algonquines; en d'autres mots, cela signifiait que les Robitaille pouvaient se vanter d'avoir du sang indien dans les veines.

Mes parents se courtisèrent selon les règles en usage à l'époque, et s'épousèrent en l'église Saint-Jean-Baptiste, à Québec où ils avaient transporté leurs pénates. Ils eurent huit enfants: Fernande, emportée par la grippe espagnole; deux jumelles mort-nées, Marguerite, l'aînée, installée au lac Saint-Charles, mère de cinq enfants; Jeannette, vivant dans la Vieille Capitale, mère d'un fils unique; Paul-Émile, commerçant à Chicoutimi; Gérard, décédé prématurément des suites d'un accident, et moi-même, la petite Alys.

Nous habitions au 8 rue Christophe-Colomb, dans un quartier avalé par le progrès... et par le boulevard Charest qui s'est élargi aux dépens de centaines de domiciles réduits en miettes au cours des dernières années. S'il m'arrive de circuler dans le secteur, lors de séjours dans la Vieille Capitale, je reconstruis en imagination le logis que nous habitions et je me dis avec nostalgie: «C'était le bon temps!»

Avant que les grues ne dévorent des quartiers entiers et que les immeubles en béton armé ne dressent vers le ciel leur stature imposante, Québec était un grand village fractionné en deux: la haute ville et la basse ville. La haute ville avait un caractère résidentiel, à part la rue Saint-Jean qui la traversait, et la basse ville, une vocation nettement commerciale. Nul n'aurait pu prévoir, à l'époque de mon enfance, les transformations et les orientations radicales qui ont bouleversé de fond en comble une ville paisible, gardienne des valeurs ancestrales.

Je vécus donc dans cette partie de la ville de Québec où les maisons rabougries, difformes, tassées frileusement les unes contre les autres, furent emportées par l'explosion du progrès routier.

Mon père, d'abord «cordonnier sur le p'tit banc», comme on disait alors, avait plusieurs cordes à son arc. Pour nourrir sa nombreuse progéniture à une époque où l'argent était rare, il devint pompier au département des Incendies de la ville de Québec. Petit mais doté d'une solide constitution, il apprit un jour à ma mère (qu'il aimait tendrement) qu'il allait faire ses débuts dans la lutte.

— Lutteur! s'exclama ma mère.

Elle n'en revenait pas. Ça lui paraissait risqué... et un peu folichon. Elle savait que des mastodontes hantaient les arènes et la petite taille de mon père n'était pas pour la rassurer.

Elle voulait bien croire qu'il y avait du «tigre» dans son mari, mais de là à affronter de véritables hippopotames, des armoires avec des épaules de débardeur, il y avait une marge.

— Mais ils vont te massacrer!... te réduire en charpie!... se désolait-elle, tentant de le dissuader de mettre un tel projet à exécution.

Papa possédait à fond l'art de persuader. Ma mère décida finalement de le laisser agir à sa guise.

— Je t'aurai prévenu! le morigénait-elle, agitant son doigt sous le nez de mon père.

À la louange de mes parents, je dois dire qu'ils s'aimèrent d'amour tendre, surmontant — unis pour le meilleur et pour le pire — des épreuves accablantes. Les couples d'alors m'ont toujours semblé mieux préparés, moralement, pour faire face aux responsabilités familiales.

Cette impression me vient de mon propre milieu, où rien n'a jamais été facile. Chaque petite victoire matérielle était le résultat d'un labeur acharné joint à une ténacité admirable. Mon père eut donc l'adhésion mitigée de ma mère pour entreprendre une deuxième carrière. Il l'avait convaincue que ses exploits dans l'arène apporteraient de l'eau au moulin. Ce ne serait pas le pactole, mais ça aiderait à payer le superflu.

Mon père possédait un sens inné du spectacle. Bien avant tout le monde, il avait pressenti que les vedettes québécoises éclipseraient un jour les artistes américains qui pullulaient sur les scènes locales. Parmi la gent artistique, certains de mes compatriotes, en mal de gloire et de fortune, s'affublaient de noms à consonance anglaise pour se faire une place au soleil. Cette manie pernicieuse de copier l'étranger ou de croire, comme c'était le cas, que les Américains ou les Européens avaient le monopole du talent et du succès, ou que l'Anglais ouvrait toutes les portes, ce qui était vrai à l'époque, incitait plusieurs artistes à trahir leur identité.

Mon père, on le verra, joua un rôle déterminant dans ma carrière; il en fut l'instigateur, l'architecte et l'impresario. En 1928, un an avant la dégringolade de la bourse de New York, il décida que je participerais au concours pour les enfants organisé par la maison Catelli.

Sous sa direction, j'appris quelques chansons populaires susceptibles de m'attirer les faveurs du public et des membres du jury.

Il mit au point mon numéro, s'appliqua à corriger et perfectionner mes gestes, me fit répéter sans arrêt... jusqu'au moment où, satisfait, il s'écria avec une ferveur touchante:

— Ma petite Alys, c'est toi qui vas remporter le grand prix Catelli.

Bien des parents, on le sait, ont souvent tendance à voir dans leurs rejetons des prodiges en puissance ou des génies, le cas échéant. Mon père ne tarissait pas d'éloges à mon endroit. C'est fou ce qu'il me trouvait talentueuse, originale, incomparable. Selon lui, personne ne m'égalait. Je chantais dans la note, je dansais, bref, j'étais unique. Évidemment, je me sentais stimulée par son enthousiasme et je ne voulais pour rien au monde le décevoir. Il était plus important pour moi de satisfaire mon père que de remporter des prix.

Le concours Catelli suscitait un vif intérêt dans toutes les régions du Québec, autant chez les enfants de mon âge que chez les parents. C'était un très gros spectacle, appuyé à grand renfort de publicité par la plus populaire station radiophonique du temps à Québec, le poste CHRC, qui servit de rampe de lancement à tellement de vedettes de chez nous.

A l'époque où mon père décida que je participerais au grand concours Catelli, je venais d'avoir cinq ans. Cependant, je dois dire que j'avais, sur les autres concurrents, une bonne longueur d'avance.

Mon père, ai-je raconté, luttait un peu partout dans les salles paroissiales, les stades et les arena. Il prenait à coeur sa seconde carrière, mais il faisait toujours d'une pierre deux coups, en m'associant au spectacle. Entre deux combats, l'animateur du spectacle de lutte annonçait aux spectateurs que la petite Alys allait chanter et danser pour eux.

Haute comme trois pommes, vêtue de mon costume de scène, je m'avançais alors sous les feux des projecteurs, pendant que l'animateur poursuivait la présentation.

— Elle n'est pas bien grande, la petite Alys, mais vous ne perdez rien pour attendre. Elle a une voix de rossignol.

Et patati! et patata!

Pour mieux me faire entendre sans micro, j'entonnais les plus jolis airs de mon répertoire dans un cornet en porte-voix. Je m'éclipsais après quatre ou cinq chansons, heureuse de voir la satisfaction inonder le visage de mon père. Mon succès l'étonnait et le ravissait: «Ma petite Alys, elle ira loin», disait-il à la ronde, à ses amis et connaissances, les priant de ne pas manquer les nombreux spectacles que je donnais ici et là.

Instigateur et animateur de soirées de bienfaisance ou de galas pour diverses œuvres, mon père me faisait inviter partout. Peu à peu, mon nom émergeait de l'anonymat. Des inconnus m'arrêtaient sur la rue pour me cajoler ou s'écriaient, en me voyant: «Ben! c'est la petite Alys! Vas-tu faire une chanteuse plus tard?» Je ne savais pas... je haussais les épaules et répondais: «Peut-être bien».

Je n'eus donc pas de mal à me classer parmi les finalistes de Catelli et à remporter haut la main le premier prix.) Ce premier succès important fouetta davantage l'orgueil de mon père que le mien. Dès ce moment, il multiplia les efforts pour faire de moi, comme il disait, une «grande artiste».

Il n'était pas question que je néglige mes études pour autant. Sur ce point, mes parents se montraient intransigeants.

— On doit faire la distinction entre la carrière d'Alys et ses études, disait ma mère courroucée, lorsque des engagements imprévus bouleversaient occasionnellement ma routine.

— Très bien, très bien, répliquait mon père. Je te jure, Albertine, que ça ne se reproduira plus.

— Les études d'abord! tranchait ma mère.

Mon père aussi était de cet avis, mais son esprit d'initiative lui faisait transgresser les règles du jeu.

(J'ai fréquenté, en particulier, la petite Ecole préparatoire de Musique, située dans la paroisse Saint-Joseph, où, tous dans une seule grande pièce, nous recevions des leçons de Mademoiselle Guay, qui venait exprès de l'académie Notre-Dame pour nous enseigner les rudiments de la musique. Anne-Marie Gauvin, de l'académie Notre-Dame, venait donner les cours de musique avec sa flûte.)

Nous quittâmes le 8, Christophe-Colomb, pour emménager au troisième étage d'un petit immeuble, à Saint-Malo. Celui-ci appartenait à un cousin de ma mère, épicier de son état. Peu après, mon père décida de nous faire déménager à Saint-Sauveur, lors de son transfert à la caserne des pompiers de ce quartier.

Hormis les prouesses de mon père dans l'arène, les visites d'amis ou de parents, les accidents de parcours d'une famille normale, nous menions une vie relativement paisible. Cette paix fut bouleversée par un accident survenu à mon frère cadet, Gérard (que j'aimais beaucoup).

Un jour que je revenais de l'école, après ma leçon de solfège (nous habitions alors la rue Sainte-Thérèse, la fameuse rue du carnaval de Québec), mon jeune frère, juché sur son petit tricycle, s'amusait sur le trottoir bordant notre maison. Un gros camion rouge, conduit par un chauffeur en état d'ébriété, fit une fausse manoeuvre qui fit grimper le camion sur le trottoir. Il happa Gérard au passage et celui-ci fut aplati au mur. Le chauffard poursuivit sa route sans s'arrêter. Ceci fut confirmé par une voisine, Madame Fortin, propriétaire d'un petit salon de coiffure situé en face de notre résidence, et par d'autres témoins.

J'arrivais sur les entrefaites. J'aidai ma mère à ramasser Gérard, puis je courus à la caserne des pompiers chercher mon père.

Mon frère eut l'épine dorsale broyée. C'en était fini de sa santé florissante.

Ce drame me traumatisa et son impact psychologique m'affecta très longtemps. Ce fut en tout cas un accident dont j'eus du mal à me remettre. Pauvre Gérard! J'aurais tant voulu alléger ses souffrances.

Mes études en solfège, commencées à l'âge de six ans, progressèrent rapidement sous la direction des RR. MM. Sainte-Cécile et Sainte-Marie-Maxime, de la Congrégation Notre-Dame, à Saint-Malo. Pourtant, je ne consacrais que trente minutes par jour, après l'école, au solfège.

— Que veux-tu devenir plus tard? demandait Mère Sainte-Marie-Maxime en badinant.

— Une chanteuse d'opéra, ma mère.

— Voyez-vous ça! Il faut beaucoup de temps pour devenir une chanteuse d'opéra. Auras-tu cette patience?

Et je répondais avec aplomb:

— Si vous m'aidez mère Sainte-Marie-Maxime, ça ira très vite.

Je me rends compte aujourd'hui, en évoquant mes

souvenirs d'enfant, qu'elle m'a inculqué les rudiments du solfège, et qu'elle m'a aussi donné le goût de l'étude.

Il en coûtait vingt-cinq cents à cette époque pour fréquenter la petite école du quartier, et 25 cents supplémentaires pour les enfants qui s'inscrivaient au cours de solfège.

Consciente que l'argent ne pousse pas dans les arbres, et que c'était l'argent de mon père qui me permettait d'étudier, je m'appliquais à assimiler les leçons de solfège, sous la bienveillante direction de la révérende mère dont le dévouement était digne de tous les éloges.

Quoique attirée par la carrière d'artiste, j'avais le vif désir de m'instruire, d'autant plus que tante Rosanna (décédée à l'âge de 97 ans), la sœur aînée de ma mère, ne cessait de me répéter que «l'instruction ouvrait toutes les portes».

Je grandissais donc dans une ambiance propice à mon épanouissement, heureuse de me savoir protégée et aimée.

Je ne cessais d'accroître mon répertoire: Les Roses blanches, Je n'ai qu'une maman, c'est toi, Quand on s'aime bien tous les deux, La Berceuse de Jocelyn *(chanson que je mimais en berçant ma poupée),* Le Noël de Fauré, *étaient mes plus grands succès.*

À sept ans, je fis mes débuts à la radio, à CHRC. M. Narcisse Thivierge, le président, habillé comme une carte de mode, portant canne et gants, m'impressionnait beaucoup.

— Bonjour, ma petite Alys, disait-il, de sa grosse voix. Alors, on chante au micro[1] aujourd'hui?

— Oui, monsieur, répondais-je, intimidée.

_____

(1) Les micros d'alors reposaient sur des tiges rigides dépourvues d'articulations. On me faisait monter sur une table ou sur une chaise pour être à la hauteur du micro. Il faut se rappeler aussi, qu'avant que le micro ne fasse son apparition au théâtre, le cornet (porte-voix) — ce bon vieux cornet — était le lien qui unissait spectateurs et artistes.

— Eh bien, je t'écouterai.

Il me caressait les cheveux et s'en allait, me laissant sidérée par sa gentillesse et sa distinction.

Mon père, comme toujours, se démenait comme un diable dans l'eau bénite pour que je participe à tous les concours d'amateurs ou aux différents spectacles qui se donnaient dans les salles paroissiales ou sur les scènes des cinémas de la Vieille Capitale durant les intermèdes. Ma mère l'aidait à choisir mes chansons.

Ma participation à tous ces spectacles ne mettait pas plus d'argent dans l'escarcelle familiale. Un premier prix rapportait $5, à une époque où la pinte de lait se vendait cinq cents et un gros pain de deux livres le même prix. Avec un laissez-passer, il en coûtait dix cents pour aller au cinéma. C'était la belle époque de l'art cinématographique.

Je passai trois fois au concours Catelli, mais les parents des autres participants commençaient à rouspéter.

— Elle est professionnelle et elle n'a pas d'affaire là! protestaient-ils.

Mon père se fâchait, tout rouge:

— Mais qu'est-ce qu'ils ont à se plaindre?

Il reconnaissait, toutefois, que je ne pouvais indéfiniment me présenter à Catelli et rafler le premier prix.

— Si nous étions dans la peau des autres parents, nous réagirions probablement de la même façon, disait ma mère avec beaucoup de justesse.

— Bon, claironna-t-il alors, on s'embarque pour une autre étape, une étape importante. On laisse Catelli et on tourne les yeux vers quelque chose de plus gros. Il est temps que notre fille devienne vraiment professionnelle.

J'écoutais ces discussions avec un certain détachement. Mon univers intime était beaucoup plus restreint que celui que voulait m'imposer mon père. J'aimais l'école, l'histoire, le tricot, le dessin et ça suffisait amplement à satisfaire mes ambitions. À compter de la quatrième année, l'anglais était au programme scolaire, et mon père me fit un long discours sur la nécessité de maîtriser cette langue.)

— Ce sera bon pour ta carrière.

— Oui, papa.

— Alors, il faut que tu t'appliques et que tu l'apprennes correctement.

— Je ferai mon possible, papa.

Pauvre papa! Un grand rêve l'habitait, celui de me donner le maximum de moyens pour que je devienne une grande vedette de la chanson. Il ne se gênait pas pour répéter à qui voulait l'entendre:

— Il y aura une star dans la famille qui sera la première grande star du Québec.

Et je le savais assez têtu pour deviner que son rêve, à travers moi, se matérialiserait.

CHAPITRE 3

Je remporte, partout, les premiers prix

Je participais toujours, à titre gratuit, à de nombreux spectacles organisés ici et là pour remplir les caisses d'associations de bienfaisance.

Mon père, infatigable, se mit en tête, un jour, avec le petit frère Sauvageau, l'ami des pauvres, de présenter un grand spectacle sur les Plaines d'Abraham, avec la collaboration des autorités municipales. Ce fut un triomphe, un événement spectaculaire; les journaux affirmèrent que ma présence avait attiré des milliers de spectateurs. Rappeler cette époque, c'est se souvenir d'une crise dramatique que nos parents ont vécue. Elle éclata le 24 octobre 1929, et on la nomma le "jeudi noir". Dans les mois qui suivirent, le chômage atteignit 25,5 pour cent dans l'ensemble du Canada. Au Québec, en décembre 1932, il grimpa à 30,9 pour cent. C'était partout la panique, le désespoir et la «misère noire». Les pauvres gens, par milliers, faisaient la queue à la porte de diverses institutions religieuses pour partager ce que l'on appelait la «soupe populaire».

En 1932 (j'avais neuf ans), un citoyen sur quatre vivait du secours direct. Comme mon père était sapeur pour la ville de Québec, nous étions moins touchés que d'autres, mais Dieu sait si cette damnée crise a été vivement ressentie par les membres de ma famille ou des parents qui vécurent, durant ces années effroyables, des moments dramatiques. Mon père disait souvent:

— Nous sommes chanceux de pouvoir nous mettre quelque chose sous la dent. D'autres ne sont pas aussi favorisés.

C'était vrai. L'angoisse se lisait sur les visages et des milliers de pères de familles ne pouvaient dire avec certitude s'ils auraient de quoi manger le lendemain ou le jour suivant. Grèves, bagarres, révoltes des chômeurs contre des gouvernants désemparés, soulignaient le caractère odieux d'une crise économique qui enrichissait les uns et jetait les autres sur le pavé.

Le Québec du début des années 30 fut aussi marqué par divers événements artistiques qui alimentaient de chaudes discussions dans ma famille. Mon père veillait sur ma carrière avec un soin jaloux, et il se tenait au courant de tout ce qui se passait dans la Vieille Capitale et sur la scène métropolitaine.

Le mélodrame Aurore l'enfant martyre, joué au Théâtre Saint-Denis, eut une très forte influence sur moi. On en parlait beaucoup chez nous, avec passion, et mon père soutenait que j'aurais pu interpréter avec brio le rôle d'Aurore, s'il avait eu les contacts nécessaires pour que je fasse partie de la distribution de la pièce. Mais le théâtre canadien (on ne disait pas québécois dans le temps) comme le monde du spectacle en général restait sous l'emprise d'organisateurs (impresarios) qui faisaient venir ici des troupes américaines, anglaises, irlandaises ou françaises et les imposaient, souvent avec des revers, à une majorité francophone. C'était, en somme, le colonialisme culturel à son apogée.

Pour gagner un peu plus d'argent, mon père, connu sous le nom de Polo Robitaille, continuait à pratiquer la lutte avec des athlètes tels Victor Delamarre, Samson et Levasseur, etc. Il commençait à se faire une réputation. Je chantais toujours entre deux combats, circulant ensuite parmi les spectateurs pour vendre mes photos. Nous avions ajouté cette petite fantaisie financièrement pratique à mon numéro.

Une fois par semaine, je chantais à l'Arlequin (maintenant le cinéma Pigalle), endroit renommé pour ses spectacles. M. Harold Vance en était le «grand manitou», et il ne perdait jamais une occasion de me faire un compliment sur mes succès en scène, me prédisant que je deviendrais une grande chanteuse.

Outre l'Arlequin, je donnais mon numéro aux théâtres «Princesse» et «Impérial» (en fait deux cinémas) qui ne payaient pas de mine, mais réussissaient le tour de force, surtout les fins de semaine, d'afficher «complet».

En travaillant très fort, en me pliant à la discipline imposée par mon père, nous avions mis au point un numéro composé de divers éléments, alternant entre le piano, dont je jouais, les danses écossaises, les danses hollandaises, le «tap-dance» et de nombreuses chansons choisies avec soin.

Mon père réglait lui-même avec minutie les séquences de ce pot-pourri assez bien équilibré.

Modestie mise à part, je raflais littéralement tous les prix, dans ma catégorie, au point que papa se montrait davantage préoccupé de l'avenir que du présent. Mon propre dépassement exigeait que je sorte du circuit habituel où j'étais devenue très vite un personnage qu'on reconnaissait sur la rue et qu'on arrêtait pour embrasser.

Nous n'étions pas riches, mais mes parents s'arrangeaient pour que je porte toujours de jolis costumes en scène. Ils confiaient à Diane, une couturière de talent, le soin de me confectionner, à partir souvent de pièces disparates, de fort jolies choses, des robes coquettes, des ensembles gais, bref une garde-robe qui me mettait en valeur. Mon père insistait sur l'importance de mes costumes. «On n'attrape pas les mouches avec du vinaigre», disait-il souvent, soulignant que l'emballage avait autant d'importance que le contenu.

— Chaque spectacle que tu donnes, même si ça ne rapporte pas d'argent, te sert dans ta carrière. Tu apprends quelque chose que je ne peux pas te montrer, tranchait-il.

Dans l'intervalle, je ne perdais pas mon temps. Juliette Croteau, dont le studio se trouvait rue Saint-Jean, me donnait des cours de chant. J'apprenais à respirer, à corriger mes imperfections et à chanter du thorax.

Pour m'initier aux mille et un secrets de la technique vocale, on m'inscrivit chez un célèbre professeur de chant, Maître Tavara, et chez Jean Riddez, père de Mia Riddez. Ces deux illustres professeurs m'apprirent beaucoup. Avec eux, je fis des progrès remarquables.

À la maison, notre vie de tous les jours ressemblait sans doute à celle de tout le monde, sauf que ma mère, que les uns qualifiaient de «sainte femme», ou de «femme forte de l'Évangile», travaillait d'arrache-pied.

À peine pouvait-elle souffler, tant sa besogne l'accaparait. Elle avait pris en pension l'oncle Léo, puis l'oncle Lucien, son frère, une ancienne vedette de cirque. Ils étaient gentils, serviables, mais maman les avait sur les bras, avec tout ce que comporte la présence de deux pensionnaires en plus de la besogne ordinaire.

Femme modeste, épouse dévouée, elle attaquait ses journées avec entrain, mobilisée par l'infirmité de Gérard.

Elle, si fervente, si assidue aux offices religieux, si près de Dieu, comme elle disait, comprenait mal qu'une pareille épreuve ait frappé son fils. Personne, d'ailleurs, n'avait accepté que Gérard, beau garçon, solide, sur lequel mes parents misaient beaucoup, soit devenu impotent du jour au lendemain.

Sans être une femme fatale, ma mère avait du charme et des jambes superbes devant lesquelles mon père s'extasiait:

— Marlene Dietriech n'en a pas de pareilles! s'exclamait-il, admiratif.

Ma mère, pour la forme, protestait:

— Veux-tu arrêter ça! Ce que tu dis n'a pas d'allure.

Père poursuivait dans la même veine, lui recommandant, avec des mimiques expressives, de mettre ses jambes en valeur en portant de beaux souliers. Il lui achetait souvent des bas de nylon, de couleur chair, pour que maman soit à son mieux.

— Tiens, mon «Ti-Loup» (c'est ainsi qu'il l'appelait), tu porteras ça... avec mes compliments.

Ces petites attentions contribuaient à maintenir une bonne communication entre mes parents. S'ils se disputaient parfois, ils se «raccommodaient» très vite.

À la maison, il était entendu, pour tout le monde, qu'on ne me dérangeait pas durant la période consacrée à mes chansons. Après mes devoirs, je me réfugiais dans le salon et, assise au vieux piano que grand-père nous avait donné, je pianotais interminablement. De temps à autre, maman[1] jetait un coup d'œil sur moi, mais ne m'interrompait pas, sauf pour m'indiquer que je faisais fausse route.

Débordée par mes activités artistiques et mes études, je ne menais pas la vie normale des écolières de mon âge. Pendant qu'elles s'amusaient, jouaient dans la rue, j'étais rivée à mon piano pour étudier mes chansons ou préparer mon prochain spectacle.

Je me suis longtemps demandé si cette existence peu commune pour une fillette de mon âge n'avait pas été responsable, plus tard, de mes problèmes de santé. Pour ne pas me coucher tard, je donnais mon numéro au début du spectacle, mais ma fatigue mentale et physique existait quand même, provoquée par l'accumulation des respon-

---

(1) Née le 2 octobre 1888, ma mère mourut le 28 juillet 1978, à l'hôpital Saint-François-d'Assise, à Québec.

sabilités sans doute trop lourdes pour mon âge, même si on disait que j'étais une «naturelle», que j'avais le spectacle dans la peau.

Soumise à une pression sans cesse accrue, à mesure que je m'imposais à l'attention du public, je me trouvais dans un cercle vicieux. Pour m'améliorer, je devais normalement multiplier les efforts, m'assujettir à une discipline de tous les instants et travailler plus fort. Chaque effort en exigeait un plus grand, au détriment de mon équilibre nerveux soumis à rude épreuve. Il est difficile de faire une évaluation rationnelle du travail qui me fut imposé, à un âge encore tendre, et des complications qui modifièrent le cours de ma vie. Mais le simple fait de m'enfermer dans une pièce deux ou trois heures par jour, après mes devoirs, pour apprendre de nouvelles chansons ou répéter celles que je savais déjà, nécessitait pour une fillette une grande dépense d'énergie. J'étais une enfant qui abattait un travail d'adulte.

Ma journée, organisée systématiquement, commençait tôt, avec la messe du matin, que je ne manquais jamais. Outre mes études à l'école du quartier, je prenais des cours de chant, de ballet, de diction, si bien que presque toutes mes journées étaient grignotées par de nombreux rendez-vous. J'ajoute à ces obligations les spectacles que je donnais à droite et à gauche, sans répit. Ce rythme de vie était essoufflant.

Je mettais un tel cœur et une telle ardeur à réussir tout ce que j'entreprenais, je me faisais un si grand point d'honneur d'être parmi les premières à l'académie Notre-Dame, que j'hypothéquais ma santé.

Les plus beaux jours de ma vie (jours de bonheur et de plénitude qu'il m'a été impossible de recréer plus tard) furent marqués au sceau de la religion: ma petite communion, dans la paroisse Saint-Malo, en l'église Marie-de-l'Incarnation; ma confirmation, dans la paroisse Saint-

Sauveur[2], alors que j'habitais rue Sainte-Thérèse, ainsi que ma communion solennelle.

Ce furent des jours de relâche dans la vie que je menais alors. Même aujourd'hui, j'en reste imprégnée. Quel beau temps! Comme ils furent appréciés et goûtés, ces moments de ma vie!

Mais une fois passés, la dure réalité reprit le dessus: études, nouvelles chansons à apprendre, cours, spectacles, répétitions, bref, tout un programme pour une gamine. Or, un fait nouveau, important, qui avait nom Major Bowes, me permit de faire un énorme pas en avant. Dans tous les États américains, Major Bowes avait organisé un gigantesque concours d'amateurs qu'il prolongea au Canada, puis au Québec. Chaque ville importante concourait, et le gagnant d'une ville ou d'une région pouvait ensuite participer au grand prix du pays.

Dès que mon père sut que le Major Bowes recrutait des participants à son concours, je fus automatiquement dans les rangs. Je venais tout juste d'avoir neuf ans et il s'agissait d'une occasion rêvée pour déborder du cadre étroit dans lequel j'évoluais.

Non seulement je remportai le premier prix et les honneurs qui s'y rattachaient, pour la ville de Québec, mais j'y participai avec de futures vedettes internationales telles que Frank Sinatra et Léo Hobokenfour, quatuor avec lequel Sinatra fit ses débuts.

À cette époque, je chantais au théâtre et Sammy Jr jouait dans un numéro mis au point par son père et son oncle, deux excellents artistes de vaudeville. Sammy Davis se prit d'amitié pour moi et ce fut réciproque. Je connaissais suffisamment la langue de Shakespeare pour comprendre et retenir les nombreux conseils dont il me

---

(2) L'académie Notre-Dame est devenue l'école Marguerite-Bourgeoys. Cette école a déjà reçu la visite de la reine Elisabeth II, il y a quelques années déjà.

gratifia. Il m'avait vu danser le «tap-dance» et il m'apprit, en peu de temps, tous les secrets d'un art que je pratiquais déjà avec un certain brio. Mais je sus, après cette rencontre et mon succès (à l'émission du Major Bowes) que je venais de gravir d'un cran la pente raide du professionnalisme.

Sammy Davis Jr donna plusieurs spectacles à l'Arlequin, avec son père et son oncle. Son talent, quelques années plus tard, lui ouvrit toutes grandes les portes d'Hollywood. Malgré le temps et les distances, nous restâmes de bons amis.

Quoique mon succès à Major Bowes ait été retentissant, que la presse s'accordât à dire qu'une grande carrière s'ouvrait devant moi, je continuais à travailler partout à Québec, selon une routine bien établie. Les troupes de l'époque, fort peu nombreuses, ne passaient pas en coup de vent dans une région ou une ville où elles donnaient un spectacle: les membres s'y installaient avec armes et bagages pour au moins un an. Cela durait parfois davantage si le public l'exigeait.

À l'Arlequin, je fus en contact avec les artistes populaires de l'époque. (Olivier Guimond, père, connu sous le sobriquet de «Ti-Zoune», et sa femme, Effie Mack, mère de notre comédien national, Olivier Guimond; Swifty (Paddy-Shaw); Pissy Wissy et son frère Moe Levy; Juliette et Arthur Pétrie; Rose «La Poune» Ouellette; Rita Cox et ses danseuses; Julien Daoust, Jean Grimaldi et de nombreux autres comédiens.

C'était l'époque des saltimbanques, courant les routes, s'accordant peu de répit et vivant intensément un métier qu'ils adoraient et qui les dévorait.

Tous ces artistes me côtoyaient et m'aimaient bien. «Tiens, bonjour Alys», disaient-ils, en me voyant à l'Arlequin, sans doute étonnés par ma persévérance. Ce sont ces gens-là qui importèrent le «burlesque» au Québec, forme de théâtre longtemps discrédité par un public aux prétentions intellectuelles.

Olivier Guimond, père, avait la trempe d'un très grand comédien. Le regretté Henri Deyglun et Jean-Charles Harvey montèrent un jour une revue, avec des comédiens comme on en trouvait à l'époque de Barry-Duquesne. Olivier Guimond, fils, à qui on avait confié un rôle de premier plan, s'en tira avec tous les honneurs. Doté d'une très vive sensibilité, il était l'égal des plus grands, sinon le meilleur. Il opta pour une forme de théâtre populaire, le vaudeville, qui le rendit célèbre. Mais il aurait pu, sans rougir, jouer sur n'importe quelle scène du monde avec les plus grands comiques du temps.

C'est au théâtre Arlequin que je découvris mon état de femme, à l'âge de onze ans. Au moment d'entrer en scène pour exécuter un numéro de danse, je m'aperçus d'une chose anormale: je saignais légèrement. Alarmée, je décidai d'en parler à Madame Juliette Pétrie.

— Je pense que je me suis fait mal, Madame Pétrie.

— Où ça, Alys?

À mesure que je lui fournissais des détails sur ce mal mystérieux, elle souriait de plus en plus.

— Va faire ton numéro, ce n'est pas très grave.

J'étais quand même décontenancée par la soudaineté de mon mal. Une fois revenue à la maison, j'en avisai maman, mais pour tout remède, après un bref examen, elle me mit les pieds dans un bassin d'eau chaude. Puis, ma sœur Jeannette et ma mère me firent découvrir les aléas du «mystère» féminin. «Fais attention à toi!» conclut maman, mettant un terme à un cours d'éducation sexuelle réduit à sa plus simple expression. Le puritanisme de l'époque excluait les longues explications sur le corps et le sexe.

Ma vie sentimentale se résumait à laisser un petit voisin — il se précipitait dès qu'il m'apercevait — transporter mes livres jusqu'à l'école. Il avait toujours une chemise blanche impeccable, une petite boucle noire qu'il portait coquettement et un beau sourire attendrissant. Il devint plus tard organiste.

À treize ans, je pris une décision qui modifia le cours de ma vie. Comment, dira-t-on, peut-on prendre une décision sérieuse à cet âge-là? Ayant vécu une enfance particulière, partagée entre mes études et une carrière que je préparais, je ne voyais pas les problèmes de la vie avec les mêmes yeux que les adolescentes de mon âge. D'une certaine façon, j'étais déjà sur le marché du travail, même si je ne touchais pas les cachets qui m'auraient permis de vivre de mon métier.

En contact avec des personnes plus âgées, ne jouant que sporadiquement avec des filles de mon âge, j'étais forcément plus aguerrie, plus avertie, plus consciente des réalités de la vie et du quotidien. Les étrangers qui m'approchaient me trouvaient «adulte et bien sérieuse» pour mon âge. Ils disaient vrai, car l'univers des adultes était le mien. Tout à coup, je sentis le besoin de m'expatrier, d'aller chercher ailleurs ce que mon milieu ne pouvait plus me donner. Je m'en ouvris, un soir, à ma mère, qui fut très compréhensive. Elle entretenait cependant certaines craintes justifiées.

— Tu es sérieuse, personne n'en doute, mais tu n'as que treize ans. Penses-y un peu!

— J'y ai pensé, maman. Mais je ne m'améliorerai plus si je reste ici. J'ai atteint les limites. Il faut que j'aille là où il y a plus de chances d'aller plus loin.

Jamais ma mère n'avait eu à résoudre un problème aussi épineux. Elle se sentait déchirée entre le désir de me voir réussir et l'angoisse de me voir partir, à treize ans, sur la route de l'inconnu, avec tout ce que cela comportait de pièges.

— Je ne dis pas non, mais ça mérite réflexion. Tu es mineure, sous notre garde et je dois en parler avec quelques personnes dont ta tante Rosanna.

Dans une première étape pour arracher un oui à mes parents, j'avais demandé qu'on n'en parle pas tout de suite à mon père. Il était préférable que ma mère, une fois convaincue de la nécessité de mon départ, aborde ensuite la question avec lui en toute sérénité.

Mes tantes Rosanna et Blanche furent longuement consultées, mais les réticences restaient nombreuses. Mon frère Paul-Émile était en complet désaccord avec moi.

— C'est une folie! disait-il, hochant la tête, comme si je courais au devant des pires catastrophes.

À mesure que les jours passaient, que la décision de me laisser partir retardait, mon anxiété croissait.

Enfin, lors d'une solennelle réunion au sommet, mes parents acceptèrent que j'aille m'installer à Montréal... à certaines conditions. J'étais folle de joie. Enfin, je pourrais réaliser mes rêves les plus fous. Ce serait une dure bataille, un combat de tous les instants, mais je me sentais assez forte et résolue pour mener à bonne fin une carrière que je voulais fulgurante.

CHAPITRE 4

Sur les ailes de l'amour

Les années 1930 virent naître, au Québec, une pléiade de bons comédiens. L'arrivée du cinéma parlant, deux ans plus tôt, et la création de Radio-Canada en 1936, favorisèrent la vie artistique. Mon départ de la Vieille Capitale coïncidait avec la renaissance d'une vie française qui allait se manifester avec éclat dans plusieurs domaines.

Je disposais d'un petit capital qui s'élevait exactement à $2. Un billet simple pour Montréal, sur le train de nuit, coûtait à ce moment $1.85. Je fis mes préparatifs en toute hâte. Dans une boîte de carton, je mis mes effets personnels, ma jaquette longue et mes feuilles de musique. Rien de plus. Je ne voulais pas m'encombrer, en tout cas le moins possible, et la question vestimentaire n'était pas au centre de mes préoccupations.

Nous étions en décembre et, avant de prendre le train pour Montréal, je fis un crochet au restaurant Chez Charlie, pour voir mon frère Paul-Émile. Il manifesta son désaccord. «À treize ans, ce n'est pas le temps de s'aventurer sur les grandes routes», me reprocha-t-il.

Mais personne n'aurait pu me retenir à Québec. J'avais promis de rester en communication étroite avec ma famille, de téléphoner souvent, mais j'étais irrésistiblement attirée vers la métropole où se passaient tant de choses, où ma carrière allait définitivement prendre son envol. Je voulais bien admettre qu'il n'était pas tout à fait normal, à treize ans, de quitter mon foyer, mais je considérais que le jeu en valait la chandelle et que c'était loin d'être aussi terrible qu'on voulait me le faire croire.

Après un voyage sans incident, je débarquai à Montréal, avec 15 cents en poche. J'étais à la fois ravie et terrifiée. Je quittais une grosse bourgade pour une ville géante où tout semblait différent. Déjà, le mouvement me plaisait, me fascinait.

La gare était animée, avec un flot continu de gens qui me faisait penser à une ruche d'abeilles. Je ne savais comment sortir de la gare, mais j'emboîtai le pas à des voyageurs qui portaient des valises. Je me retrouvai avec eux sur le trottoir. L'air était vif, piquant, la rue animée. Je tâtai dans la poche de mon manteau les piécettes de dix et cinq cents, en me disant que je ne pouvais aller très loin.

Il y avait à ce moment-là beaucoup d'employés noirs à la gare Windsor. Je m'adressai à l'un d'eux, un gros monsieur dans la cinquantaine.

— Savez-vous où se trouve le théâtre National?

— Bien sûr, ma petite. (Il parlait français, en le cassant.)

Il m'expliqua le trajet en ajoutant: «Tu ne peux pas le manquer, le tram va te déposer juste devant.»

Les rues de Montréal étaient alors sillonnées par les lourds et bruyants tramways, et je montai dans l'un de ces «p'tits chars» (comme on disait à l'époque) juste un peu en haut de la gare. Je donnai ma pièce de cinq cents au conducteur en lui disant que je voulais aller au théâtre National.

Il m'y déposait peu après, et je respirai d'aise. J'étais tout près du but. Le théâtre National, c'était une institution aussi connue que l'oratoire Saint-Joseph. À cette heure encore matinale, on y travaillait déjà. J'ouvris la porte, me glissai à l'intérieur, et descendis l'allée principale.

— *Où vas-tu, petite?* me demanda un homme que je n'avais pas vu.

— *Je m'appelle Alys Robi. Je viens chanter pour Madame Rose Ouellette.*

— *Mais c'est la petite Alys!* s'écria Madame Ouellette, en m'apercevant. *Viens ici,* me dit-elle, m'enjoignant de monter sur la scène.

Gene Nolin, un excellent musicien, était au piano.

— *Enlève ton manteau,* dit Madame Pétrie, *et chante-nous quelque chose!*

Je ne me fis pas prier.

— *Très bien, très bien...* dit Rose Ouellette quand j'eus fini de chanter. *Mais à présent, il faut prévoir certains détails. Tu vas habiter chez nous.*

— *C'est ce que maman pensait... que vous alliez m'accueillir chez vous.*

— *Alors, n'en parlons plus, c'est fait.*

Je m'installai donc rue Berri, dans l'appartement de Madame Ouellette. Gertrude Bellerive, sa secrétaire, me prépara un lit dans le salon. Ce n'était pas très grand, mais je me sentais comme un poisson dans l'eau. Je restai là un an, heureuse et comblée. Tous les soirs, Gertrude me faisait faire ma prière.

— *Remercie Dieu pour tout ce qu'il t'apporte de bon,* me recommandait-elle.

Il est vrai que tout allait à merveille. Madame Ouellette aplanissait les difficultés. Grâce à sa constante bonté et à sa compréhension, je m'adaptai très vite à mon nouveau genre de vie, très différent de celui que j'avais à Québec, au sein de ma famille.

Intégrée à la troupe, suivie et conseillée par des professionnels, protégée par Rose Ouellette, je n'oubliais pas — et on me le rappelait à l'occasion — que j'étais encore une adolescente. Je m'initiais chaque jour au métier, j'apprenais un tas de petits trucs, mais j'étais consciente qu'une carrière se prépare de longue main.

Jeanne Maubourg, que l'on appelait «la grande dame», se chargea de m'enseigner la diction.

Je passai donc un an chez Madame Ouellette, et comme j'avais besoin de plus d'espace, j'emménageai dans la famille de Nana de Varennes, où je fus reçue à bras ouverts. Mon père venait à Montréal tous les deux mois pour voir comment cela se passait, et je téléphonais régulièrement à la maison pour prendre des nouvelles de tout le monde. Ma mère s'inquiétait parfois. Elle voulait tout savoir et se plaignait que je ne téléphone pas assez souvent.

Je restai trois ans au théâtre National, rendez-vous d'une faune hétéroclite. Durant ces trois années merveilleuses, trop vite passées, j'appris mon métier; on m'initia au drame et à la comédie, on m'utilisa à toutes les sauces, et j'obtins un gros succès auprès du public.

L'époque du théâtre National fut pour moi une excellente école. Je me souviendrai toujours de nos tournées avec Jean Grimaldi, Manda, Muriel Millard, Olivier Guimond, père et fils, Paul Desmarteaux, et de nombreux autres comédiens.

Tels des vagabonds ivres de liberté, nous quittions la métropole au printemps pour vivre la saison estivale et une partie de l'automne sur les routes du Québec, du Nouveau-Brunswick et de la Nouvelle-Angleterre, nous arrêtant pour jouer dans les municipalités les plus importantes. Notre spectacle était en français et c'était toujours «noir de monde». Partout le petit peuple nous faisait la fête. Nous devions souvent jouer à guichets fermés.

Notre succès pouvait s'expliquer par le regain d'un nationalisme plus affirmé, surtout depuis que le journaliste André Laurendeau avait publié son Manifeste de la jeune génération, quelques années plus tôt. Les Québécois cherchaient à s'identifier à des artistes qui leur ressemblaient et qu'ils comprenaient.

Ils commençaient à préférer Jean Lalonde à Jean Sablon, et s'enthousiasmèrent davantage pour les vedettes locales que pour les artistes étrangers imposés à grand renfort de publicité.

Au cours de l'une de ces tournées en province, je devins amoureuse d'Olivier Guimond, fils, alors l'ombre de son père. Depuis mon départ de la maison familiale, ma vie sentimentale s'était résumée à des rêveries solitaires ou à pousser des soupirs pour un garçon qui me plaisait. J'étais trop jeune, d'ailleurs, et trop avertie pour m'amouracher à la légère.

Entre Olivier et moi, rien ne fut compliqué. Je le voyais tous les jours, j'appréciais sa camaraderie, sa gentillesse, mais nos relations restaient platoniques, sans plus.

Un jour que nous prenions nos ébats à Salmon Beach, près de Bathurst, avec les autres membres de la troupe, le déclic se produisit.

Il faisait une journée merveilleuse. Dans un ciel sans nuage, des goélands décrivaient de grands cercles au-dessus d'une mer calme, toute bleue, aux fortes odeurs salines. Olivier s'était gardé jusque-là de me montrer ses sentiments. Mais ce jour-là, il me regardait comme s'il me découvrait... me voyait pour la première fois. Il me prit la main et ce fut le début d'un grand amour que nous vécûmes avec intensité.

Est-il vrai que l'amour transforme les individus? En tout cas, sur scène, nous n'étions plus les mêmes. Cela se reflétait sur notre jeu.

Olivier possédait un caractère en or. Contrairement à son père, plus anglophone de mentalité, sans doute parce que sa femme était écossaise, «Oliver», comme l'appelaient ses proches, à cette époque, se sentait plus à l'aise dans la langue de Molière. Malgré son énorme talent, la forte personnalité de son père, qu'il respectait, lui enlevait une partie de ses moyens. Il ne l'avouait pas, mais il se sentait parfois écrasé, rapetissé, peu confiant en lui-

59

même. Il s'étonnait toujours, une fois sorti de scène, d'avoir fait rire les spectateurs aux larmes.

—Ma foi, je dois tout de même être drôle un peu, disait-il, en se moquant de lui-même.

Après la mort de son père, il s'imposa facilement par son talent. Mais tant que son père le tint à la bride, avec autorité et une certaine dureté, il ne put jamais donner sa pleine mesure. Car son père, en essayant de le décourager, espérait qu'il ferait carrière dans une tout autre profession.

Nous faisions de la comédie et nous dansions ensemble au rythme d'un vieux refrain The Object of My Affection.

Hors de scène, il était amusant, attendrissant, sensible. Comme mon père, il adorait la pêche, sport qui me laissait totalement indifférente. Je l'accompagnais dans ses excursions, et je lui disais en le taquinant:

— Sais-tu pourquoi j'aime la pêche?

— Je n'en ai aucune idée, Alys. Je suppose que tu aimes voir un poisson frétiller au bout de ta ligne?

— Pas du tout, Olivier. J'aime la pêche uniquement parce que tu aimes ça.

Il prenait un drôle d'air, faisait mine d'être mécontent.

— Alors, tu m'accompagnes à la pêche sans aimer pêcher!

Nous eûmes des amours tendres. Lorsque nous mettions le cap sur Québec pour y passer quelques jours, il habitait toujours chez mes parents, qui l'adoraient. «Olivier, c'est le meilleur!» disait mon père, admiratif.

On lui fit une réputation d'ivrogne, mais il ne buvait pas plus qu'un autre. Pendant que les uns enfilaient trois ou quatre scotch, il s'attardait devant le sien, le sirotait longuement, donnant peut-être ainsi l'impression qu'il ingurgitait des quantités énormes d'alcool.

Nos amours durèrent près de quatre ans. Nous nous aimions toujours lorsqu'il fallut nous séparer.

Un soir, oppressée et malheureuse, je lui fis part de ma décision. En quelque sorte, je pris le taureau par les cornes. C'était le moment ou jamais. Si j'avais attendu plus longtemps, je n'aurais eu ni le courage ni le désir de le faire.

Il n'y eut pas d'éclat, pas de dispute. La générosité naturelle d'Olivier lui interdisait toute mesquinerie.

— Je comprends, Alys. Il est important que tu ailles au bout de ton défi, dit-il, compréhensif.

— Tu ne m'en veux pas, Olivier?

— Si tu restais, j'aurais l'impression de te garder captive dans une cage, de te couper les ailes.

Comme je pleurais, il trouva le courage de badiner, de rappeler les bons moments.

— Alys, quand ton nom se verra en lettres grosses comme ça (il ouvrit les bras d'une façon irrésistiblement drôle) promets-moi que tu n'oublieras pas ton petit Olivier.

— T'oublier! m'écriai-je. Je t'aimerai toujours Olivier. Tu es l'être le meilleur que j'ai rencontré!

Nous nous quittâmes, sans vraiment nous quitter. Tout ce qui arriva à Olivier, par la suite, m'intéressa et vice versa. Je le revis plutôt rarement, mais nous étions ensemble de cœur et d'esprit. Son amour fut rafraîchissant et sa simplicité le rendait grand.

La dernière fois que je le rencontrai, ce fut au Forum, à l'occasion du gala présenté par ville d'Anjou.

— Olivier!

— Alys! Comment ça va?

— Assez bien. Et toi?

— Je tiens le coup... comme tu vois.

Je savais, par les journaux, qu'il avait subi une intervention chirurgicale et que sa santé se détériorait. Au moment de notre rencontre, il savait qu'il allait mourir.

J'ai encore à l'esprit sa façon bien personnelle de me féliciter après un spectacle. Il me bécotait et me susurrait à l'oreille:

— Mon Dieu, Alys, que tu as bien fait ça!

De sa part, un tel compliment m'allait droit au coeur.

Lui parti, sans faire de bruit, comme partent presque toujours les meilleurs, je fus scandalisée de voir les profiteurs et les opportunistes multiplier les déclarations hypocrites sur l'amitié qui les liait supposément à Olivier.

J'aurais pu les clouer au pilori les uns après les autres, mais à quoi cela aurait-il servi?

Il vint dans ma vie à une époque où je recherchais la tendresse. Il me l'apporta sans rien m'imposer. Et je ne crains pas de dire que, plus tard, lorsqu'il épousa Jeanne-d'Arc Charlebois, j'eus l'impression de perdre à tout jamais l'homme de ma vie.

Dans le domaine artistique, plusieurs Québécois, à commencer par Claude-Henri Grignon, dont on radiodiffusait le roman Un homme et son péché, commençaient à faire parler d'eux.

Jean Clément, Albert Duquesne, Roger Baulu, Juliette Béliveau, Roland Bédard, Henri Letondal, Roland Chenail, Robert Gadouas, Ovila Légaré, Jean Lalonde, Claire Gagnier, Simonne Lebotte, Germaine Giroux, Huguette Oligny, Denyse Saint-Pierre, Alain Gravel, René Lecavalier, Gisèle Schmidt, Pierre Dagenais, Monique Miller, Yvette Brindamour, Marjolaine Hébert, et j'en passe, étaient déjà des artistes en pleine ascension.

Néanmoins, malgré l'émergence d'artistes du Québec, les artistes étrangers dominaient encore la scène locale.

Du théâtre National à la station radiophonique CKAC, il n'y avait qu'un pas que Phil Lalonde m'aida à franchir. Grâce à lui, j'allais côtoyer quotidiennement les Alain Gravel, Roland Bédard, Paul Guèvremont, Olivette Thibault, Manda Alarie, Teddy Burns Goulet, Maurice Meerte, ainsi que le plus grand de tous, Félix Leclerc, alors à ses débuts. Il n'était pas connu, mais on devinait tout de suite, à son allure et à ses chansons, qu'il fredonnait dans les studios en grattant sa guitare, qu'il était un extraordinaire troubadour. Il chantait des choses inconnues, tendres, et il m'arrivait de laisser mon travail pour l'écouter. Un jour, Roy Malouin me le présenta.

— Vous avez une voix très chaude, très prenante.

Il me regarda timidement, secouant sa tête ébouriffée.

— Vous êtes bien bonne, dit-il.

— Non, je ne suis pas bonne, car vous avez un énorme talent.

De fait, Félix Leclerc a toujours été mon préféré. Mieux que personne, il allait devenir, dans les années qui suivirent, le meilleur ambassadeur du Québec à l'étranger.

Ce n'est pas sans émotion que je narre mes souvenirs et les égrène avec respect, car plusieurs des personnages qui ont marqué ma vie ou m'ont influencé sont disparus. Au début de la Deuxième Guerre mondiale, le poste CKAC, reconnu comme le plus actif au Canada, était le cénacle d'une poignée de pionniers qui, dans leur sphère respective, ont changé la face du Canada français et façonné une nouvelle mentalité chez leurs compatriotes.

J'appartiens à cette époque, celle d'Andrée Basilières qui remportait un franc succès avec l'émission La Parade du samedi soir; de Marcel Desjardins, Zotique L'Espérance, Arthur Normandin, qui commentaient la saison de base-ball des Royaux; d'Alain Gravel, alors l'annonceur le plus populaire au Québec; d'Émile Coderre, qui publiait des poèmes sous le pseudonyme de «Jean Narrache»; de Philias Bédard, du quatuor Alouette; et même de Paul Morin, dont le courrier du cœur connaissait un succès fou. J'étais alors la vedette de la très populaire émission La Veillée du samedi soir, radiodiffusée à partir du théâtre Château, à Montréal, en 1942.

Quelle époque! Toujours présente à mon esprit, je n'ai qu'à fermer les yeux pour évoquer les épisodes savoureux de La Région sans armes d'Henri Letondal ou L'Heure catholique animée par Lorenzo Gauthier.

Mon travail au théâtre National et mes émissions à CKAC me laissaient peu de répit, mais je trouvai quand même le temps de m'inscrire au cours d'espagnol de Madame Manolita Del Vayo, une grande dame dont je conserve un souvenir ému.

Tout ce qui m'arrivait avait de quoi faire rêver une jeune fille de mon âge. J'ignorais ce que me réservait l'avenir, mais portée par une puissante vague de fond que rien ne semblait pouvoir arrêter, j'avais toutes les raisons au monde de croire en ma bonne étoile. N'étais-je pas trop ambitieuse? Élevée, depuis l'enfance, avec l'idée que je deviendrais une grande artiste, je trouvais naturel que les portes s'ouvrent devant moi. Tant mieux si les circonstances me servaient. Je ne devais pas me reprocher mon ambition, mais la cultiver avec l'intensité de tout mon être.

Régulièrement, je me rendais à Radio-Canada pour enregistrer mes émissions. Un jour que je badinais avec Gordie, un jeune flûtiste pétillant de vie, Lucio Agostini, le saxophoniste de l'orchestre, nous interrompit pour nous taquiner. Il avait quelques années de plus que moi — j'avais vingt et un ans — et je fus conquise, dès le départ, par la chaleur très spéciale qui se dégageait de ce personnage, une chaleur amoureuse.

J'avais connu de très grandes joies avec Olivier Guimond, et je désespérais d'en retrouver de semblables avec un autre homme. Un homme capable de me faire vibrer.

Je rencontrai Lucio à quelques reprises, sans pouvoir préciser ce qui me poussait vers lui. Je me sentais bien quand il était là, rassurée, confiante. Interminablement, nous répétions mes chansons. Quel musicien! Plus je l'écoutais, plus je l'appréciais. Nous étions presque toujours ensemble et les bonnes langues de la boîte de la rue Dorchester spéculaient sur mes chances de l'épingler à mon tableau de chasse.

Né au Québec, fils d'un grand directeur musical,

Lucio ne vivait que pour la musique, comme sa sœur Gloria, harpiste pour Toscanini dans l'orchestre philharmonique de New York. Gloria devint une très grande amie, ainsi que la mère de Lucio, Assunta, dont la gentillesse à mon endroit ne se démentit jamais et que j'ai aimée tendrement.

Lucio m'aimait. Moi aussi je l'aimais. Une journée sans le voir me pesait. Ce n'était pas un amour charnel, dévorant, mais un «amour musical». Il existait une merveilleuse communication entre nous; nous vivions au même diapason, pour ne pas dire au même rythme.

Si nos routes se croisèrent un moment, elles prirent des directions différentes, nous obligeant à nous séparer. J'allai chanter à Toronto, sur le réseau anglais, et participai à de nombreuses émissions dont Latin American Serenade.

Latin American *était enregistré par transcription et expédiée un peu partout à l'étranger, surtout dans les pays de langue espagnole, ce qui contribua beaucoup à m'ouvrir bien des portes dans des pays où je n'aurais pu trouver qu'une faible audience. Le chef d'orchestre de cette émission, Don Miguel (de son vrai nom, Isidore Sherman), dirigeait parfois l'Orchestre symphonique de Toronto. J'ai chanté aussi avec Lucio Agostini, qui dirigeait l'orchestre de quarante-cinq musiciens de* Let There Be Music *sur le réseau (anglophone) de la CBC.*

J'ai chanté également avec Mart Kenny, auteur de la chanson populaire The West, A Nest and You. *À quelques reprises, j'ai pris part à l'émission* Happy Gang, *animée par le fameux Bert Pearl, très apprécié aux États-Unis. J'ai fait* Dream Time, *dont la cote d'écoute était grande.*

J'habitais, dans la Ville Reine, chez Mrs Shank, décédée depuis. Il y avait dans l'appartement un grand piano à queue que Lucio aimait bien. Il quittait souvent Montréal pour Toronto où je l'attendais fébrilement. Nous passions de longues heures à travailler ma musique, sans qu'il manifeste la moindre impatience.

Beaucoup plus tard, Lucio s'installa à Toronto, pour y travailler en permanence et écrire la musique de fond pour les pièces dramatiques diffusées sur le réseau.

Il n'y eut pas de rupture fracassante entre Lucio et moi. Un jour, tout simplement, nos routes ne se croisèrent plus. Il poursuivait sa carrière, moi, la mienne. Il aimait la liberté, j'en raffolais.

Mais au-delà de nos objectifs et de nos ambitions respectives, subsista, avec le temps, le souvenir de ce que nous avions été.

Je mis beaucoup de temps à me guérir, mais est-on jamais guéri? Lucio Agostini apporta une nouvelle dimension à mon existence. Dans mes déplacements à l'étranger, il m'arrivait d'imaginer, au moment d'entrer en scène, qu'il serait là pour m'accompagner au piano. Car il jouait aussi bien du piano que du saxophone.

Hollywood, Paris et Londres

L'année où l'on accorda le droit de vote aux femmes, en 1940, je sentis pour de bon souffler le vent du succès dans mes voiles toutes grandes ouvertes.

«Ceux qui voient Alys Robi en scène, écrivait un journaliste de l'époque, sont envoûtés. Elle électrise. Elle s'impose. Non seulement par son style et son talent, mais son magnétisme, son tempérament de feu. La qualité de son numéro indique qu'elle ira très loin. Elle possède tous les atouts pour faire une carrière internationale.»

Les témoignages élogieux des journalistes me confirmaient dans l'idée d'aller plus loin, plus haut, de conquérir des auditoires plus vastes, d'accepter le défi de m'expatrier, ce qui n'était pas une mince affaire. J'étais émotivement et viscéralement éprise de mon milieu, de mon travail et de mes habitudes. Me séparer de tout ça, quitter mes amis, rompre avec mon milieu fut un déchirement. Je n'avais pas pensé que je serais placée aussi vite dans l'obligation de choisir: rester ou m'expatrier.

Mais ma carrière tenait lieu de tout. Je n'hésitai pas à sacrifier une partie de moi-même pour aller vers l'aventure; des agents me pressaient d'accepter des contrats alléchants et je ne pouvais indéfiniment retarder mon départ. Je me laissai donc emporter par le tourbillon, me promettant de garder d'étroits contacts avec les miens.

Dans les années qui suivirent ma décision de me bâtir

une carrière internationale, à la force du poignet, au cœur de la véritable jungle artistique, je vécus dans les valises, me partageant entre les grandes capitales du monde. Les chambres d'hôtels se succédaient et se ressemblaient. Mais partout j'obtenais un accueil triomphal et lorsque je mis le cap vers Hollywood, la Mecque des artistes du monde entier, pour y tourner un film, mon chevalier servant ne fut nul autre que Van Johnson, alors une très grande vedette. Je me rappelle qu'on m'avait réservé une incroyable suite au Knickerbocker Hotel, l'un des palaces les plus luxueux de la cité hollywoodienne.

Le jour de mon arrivée, je fis des répétitions en studio et, le soir même, je chantai au Hollywood Bowl. Tous les grands du show business se trouvaient là; ils me firent une ovation monstre, m'enterrant sous les gerbes de fleurs. Le lendemain, les critiques les plus connus me consacraient des articles dithyrambiques.

«Elle est jeune, belle, chante en plusieurs langues et apporte à Hollywood un brin de fraîcheur, d'inédit, d'original. Cette jeune femme qui a nom Alys Robi, une Canadienne, est promise à un succès fracassant», écrivit un critique.

Je fus assaillie par de nombreuses propositions venant de Los Angeles, San Francisco, Las Vegas. On m'engagea à prix d'or et j'entrepris, avec l'aide de mes agents d'affaires, des tournées systématiques dans les plus grands établissements, recueillant un succès égal à celui que j'avais obtenu le soir de ma première à Hollywood. Mes cachets, somptueux, me permettaient un train de vie princier. Je roulais dans une Cadillac décapotable toute blanche, j'habitais les meilleurs hôtels et fréquentais les gens les plus huppés, qui sollicitaient l'honneur de dîner en ma compagnie ou me promettaient des châteaux en Espagne.

Durant cette période de pleine montée vers le succès, je restais, au fond du cœur, une petite fille toute simple, émerveillée de sa chance. Tout était hors de proportion avec mon existence d'autrefois. Heureusement, Van Johnson, en fidèle compagnon, me faisait éviter les pièges tendus par une nuée d'individus qui disaient tous me vouloir du bien et s'efforçaient de me plaire pour m'arracher quelques faveurs. Cela fait partie de la rançon du succès.

Je menais une vie épuisante. Durant la journée, je travaillais d'arrache-pied. Mais le soir, après la tombée du rideau, une autre vie commençait, celle des nuits délirantes dans les clubs les plus cossus. Le champagne coulait à flots et je rentrais chez moi aux petites heures du matin, la tête un peu lourde, lasse, surtout ivre du rêve que je vivais. Je n'avais qu'à dire un mot pour que mes désirs deviennent réalité.

Nous nous retrouvâmes un jour dans la propriété d'un grand entrepreneur, avec une multitude d'individus dissemblables plus par le métier que par l'accoutrement.

À l'horizon, derrière une haie d'arbres magnifiques qui dressaient leurs têtes orgueilleuses à l'extrémité du parc, la longue bande rouge du soleil déclinant s'étirait jusqu'à n'être plus que tache de plus en plus réduite.

Quelques minutes après la tombée de la nuit, mille lumières disséminées selon un ordre rigoureux trouèrent la nuit et donnèrent à la fête une allure féerique.

Sheila, la fille de l'entrepreneur, fêtait ses vingt et un ans, et son père avait voulu souligner princièrement cet anniversaire en organisant une gigantesque fête, tout à fait dans le style hollywoodien.

Mon compagnon, un homme parfaitement honorable, assez bavard par ailleurs, me confia que notre hôte avait débuté modestement avec une petite entreprise de construction. Puis, d'énormes contrats gouvernementaux, qu'il devait aux pressions exercées par un homme politique connu, lui permirent vite de déborder le cadre étroit de l'entrepreneur classique. *Il possédait une chance de bossu. Tout ce qu'il touchait se transformait en or.*

Monsieur Ben, que l'on me présenta — il fut charmant pour moi — éprouvait pour sa fille unique une affection profonde, irrationnelle, qui le poussait à des extravagances coûteuses. Sans doute cherchait-il auprès d'elle, répétait-on, l'amour que sa femme lui refusait depuis des années.

À cinquante ans, il aimait vivre dans le faste; sa résidence témoignait de ses goûts particuliers. Les parvenus n'ont pas le sens de la mesure: ils éclaboussent.

Pour cette soirée, il avait voulu recréer les fêtes antiques. Un héraut costumé, lance à la main, annonçait les invités dès qu'ils pénétraient dans le vaste hall, et une douzaine de jeunes filles se précipitaient à leur rencontre pour leur offrir des rafraîchissements.

Portant des plats d'argent, de petites serveuses commencèrent à circuler parmi les groupes. Bouchées de faisan, de tortue, d'hirondelle et une infinité de mets composaient le menu préparé par un grand chef, une sommité du monde gastronomique.

Quelques minutes avant minuit, un grand blond monta sur une petite scène improvisée et s'empara du micro. «Mesdames et Messieurs, je me suis toujours méfié des gens sérieux. Ils le sont trop pour des choses qui n'en valent pas la peine, édifices de trente étages, construction de routes, piscines géantes et résidences aussi intimes que des gares. Ce soir, c'est différent, je sais qu'il n'y a pas de gens sérieux ici. J'ai le très grand plaisir d'être le premier à souhaiter un heureux anniversaire à la ravissante fille de notre hôte, Sheila. Ne voulant pas laisser passer l'occasion de lui dire combien il l'aime, son papa lui a préparé la surprise que voici.»

Un projecteur happa l'image de deux lévriers blancs, traînant un chariot sur lequel se trouvait un gigantesque gâteau de fête savamment échafaudé.

J'étais sidérée, abasourdie. Un instant, le film de mon adolescence défila devant mes yeux. Sheila et moi n'avions pas eu le même départ dans la vie.

Mes anniversaires avaient été soulignés par les gâteaux que ma mère préparait et que nous dégustions avec appétit, sans mobiliser une armée.

La BBC de Londres, la chaîne CBS de New York, le réseau national mexicain XEW et même le réseau brésilien sollicitaient ma présence. J'accourus, volant vers tous les points du globe, poussée par la frénésie d'atteindre mes objectifs dans un temps record, sans prendre le moindre repos malgré la fatigue qui s'accumulait.

Au Mexique, où je chantais les compositions de Gabriel Ruiz, gloire nationale, un bel Espagnol, yeux noirs et cheveux blonds, riche ingénieur, inventeur d'un quelconque procédé pour la télévision en couleurs, se jeta à mes pieds, me proposant de l'épouser. J'abandonnerais ma carrière et je l'accompagnerais en croisière sur son yacht tout blanc. Où irions-nous? Au bout du monde. Je n'avais qu'à dire un mot pour que la mer devienne mon royaume. C'était beaucoup trop et pas assez.

Une seule condition: abandonner ma carrière. Il me plaisait, mais je refusai de le suivre. Il crut en mourir.

— Je vous aime, murmurait-il. Si vous le voulez, nous lèverons l'ancre demain.

— Vous me flattez... mais je suis déjà mariée avec ma carrière.

— Suivez-moi, suppliait-il.

Je résistai à la tentation. Je n'avais pas autant travaillé pour suivre un bel Espagnol qui me promettait mer et monde. Il ne comprenait pas. Il s'en alla un beau matin sur son yacht, la mort dans l'âme, après m'avoir fait des adieux déchirants.

Je n'étais pas sitôt arrivée quelque part qu'il me fallait repartir ailleurs. Paris m'attendait. J'y volai le cœur léger.

Aucune distance ne m'effrayait. Toute ma fatigue disparaissait dès qu'un agent, quelque part dans le monde, me télégraphiait ou me téléphonait pour me dire qu'un autre public désirait m'entendre.

Je descendis au George V qui appartenait alors à François Dupré, propriétaire également d'une chaîne d'hôtels de luxe, dont le Ritz Carlton, à Montréal. Paris est une ville enchanteresse qui sut me conquérir dès la première fois où j'y mis les pieds. À la fin de 1944, elle vivait encore l'horreur de la guerre, mais elle conservait ce charme indiscutable qui en fait l'une des plus belles villes au monde.

Je fus invitée à donner mon spectacle Chez Maxim's, la boîte des célébrités du monde entier. Maurice Chevalier, le «Momo» des belles années, m'invita à sa table. Nous discutâmes de longues heures et je me rappelle que sa curiosité pour le Canada était insatiable. J'essayai de mon mieux de le renseigner sur la situation politique quoique ce ne fût pas mon fort.

— On dit que les artistes étrangers, les Français surtout, ont du succès chez vous.

— Oui, quelques-uns, mais les Américains conservent la cote d'amour.

— Vraiment?

Il s'étonnait.

— C'est probablement que vous ne venez pas assez souvent.

— Craignez-vous les longs voyages?

— Avec vous, Madame, j'irais au bout du monde, répliqua-t-il avec une galanterie bien française.

Quelques années plus tard, le Québec devait subir l'invasion de Tino Rossi, Andrex, Georges Guétary, Fernandel, Jean Clément, Charles Trenet, André Dassary, des chefs d'orchestres Ray Ventura, Jo Bouillon, Raymond Legrand, et de plusieurs autres grands artistes de calibre international.

Je fus, une fois de plus, et souvent à mon corps défendant, emportée dans le tourbillon habituel: fêtes, réceptions, grands dîners se succédaient. Je ne savais vraiment plus où donner de la tête. Trop, c'est trop, dit-on familièrement, chez nous. Mais par une sorte d'obstination ou peut-être même par goût du succès (poison subtil que je buvais avec délice) je maintenais ce rythme infernal, indifférente à mon équilibre. Comme ma santé tenait le coup, qu'elle ne m'avait pas jusque-là donné de problèmes sérieux, j'en venais à croire que j'étais indestructible.

Me sachant à Paris, la direction de l'«Orchid Club» de Londres, me dépêcha un émissaire pour m'offrir un contrat alléchant. Je l'ai dit, je ne savais pas refuser.

À cette époque, un lieutenant-colonel de l'Armée canadienne en garnison à Londres me suivait à la piste. Beau, jeune, élégant, il ne m'avait pas caché ses intentions. Un soir, les circonstances s'y prêtant, Alain[1] me fit des aveux.

— Alys, aussi bien vous le dire tout de suite, je vous aime.

Je badinai un peu car je croyais plutôt à un flirt passager. Ce n'était pas la première fois qu'un admirateur m'avouait son amour; je prenais toujours les déclarations passionnées avec un grain de sel. Néanmoins, il paraissait si malheureux que je n'eus pas le courage de souffler sur ses illusions.

— Vous savez que je voyage sans arrêt.

— Je vous attendrai, promit-il.

— Ce n'est pas raisonnable, voyons...

Il m'interrompit, le visage chagriné:

— Vous ne m'aimez pas, Alys?

— Ce n'est pas que je ne vous aime pas, Alain, mais j'essaie de vous dire que mon métier n'est pas de tout

(1) Alain est un prénom fictif. J'ai cru bon, dans les circonstances, de ne pas identifier ce militaire de carrière.

repos. Hier j'étais à Paris, aujourd'hui je suis à Londres, demain je serai à Rio de Janeiro.

Je le regardais avec une certaine tendresse car, à mesure que nous causions, je devinais qu'il était sérieux.

— Alys, vous incarnez ce que je cherche chez une femme. Vous êtes pétillante, dynamique, pleine de vie...

Il prit mes mains dans les siennes et me regarda avec intensité.

— Et si je vous demandais de m'épouser?

— C'est impossible, Alain. Même si nous nous aimions follement, ce serait une erreur. Je suis comme un oiseau sur la branche. Je vais, je viens, je pars, je ne serais jamais là où vous aimeriez me voir.

Nous discutâmes longuement, tels de vieux amis. Je le quittai avec regret... et je crois bien que je pleurai cette nuit-là. Est-ce que je ne me condamnais pas volontairement à la solitude? Mais le lendemain, la vie reprit; le téléphone sonna sans arrêt, des amis vinrent me chercher pour le déjeuner... et j'oubliai quelque peu mon lieutenant-colonel.

La guerre touchait à sa fin, mais quelques jours avant de regagner Montréal, je dus me réfugier dans un abri avec des dizaines d'autres Londoniens. Quelle ne fut pas ma surprise d'entendre quelqu'un me dire doucement à l'oreille:

— Bonjour, Madame Robi. J'ose croire que ce petit bombardement ne vous affectera pas trop?

Je me tournai l'air mi-figue mi-raisin vers un monsieur cravaté, coincé dans un habit de bonne coupe, le type même du parfait gentleman.

— C'est la guerre, dis-je, attendant qu'il se présente, ce qu'il fit avec un évident savoir-faire.

— Pardonnez mon audace, Madame, mais je vous ai vue à la BBC. Je suis Tommy Young.

Ce nom me disait quelque chose. Mais oui, le grand chef d'orchestre! Je l'examinai à la dérobée.

— Très heureuse de vous rencontrer, Monsieur Young.

— Heureusement qu'il y a eu ce bombardement, car je n'aurais jamais eu le plaisir de vous parler.

J'étais flattée et conquise. Nous nous liâmes très vite d'amitié et j'appris à l'apprécier. Mais fidèle à moi-même, à mon métier, je refusai une fois de plus de tomber dans le piège facile de l'amour éternel.

Dans l'avion qui me ramenait vers Montréal, j'essayais de voir clair en moi. Je menais ma carrière rondement, mais je ne pouvais pas en dire autant de mes affaires de cœur. Une grande soif d'être heureuse m'habitait. Mais pouvais-je mener une vie normale avec un métier comme le mien? La réponse venait toute seule.

Je retrouvai mon Québec dans toute sa splendeur estivale. Qu'il faisait bon revenir au bercail, retrouver les siens, rencontrer les amis, s'arrêter un moment pour souffler!

Comme tous les gens qui vivent une partie de l'année hors de leur pays, je perdais contact avec ma propre réalité. De retour aux sources, ma curiosité était sans borne. Que s'était-il passé pendant que je vagabondais sur les routes? La guerre tirait à sa fin... et les rumeurs couraient que l'Allemagne ne tarderait pas à capituler. Le 6 août 1945, une date mémorable et lourde de conséquences, les Américains jetèrent une bombe atomique sur Hiroshima, et neuf jours plus tard, ils en larguèrent une autre sur Nagasaki. Toutes les péripéties de cette guerre affreuse m'intéressaient, car je n'oubliais pas que j'étais une vedette née avec le conflit de 1939-1945.

À mon retour d'Europe, j'appris que l'émission Living Room Furniture battait toutes les cotes d'écoute, et que Gratien Gélinas, avec Ti-Coq, était l'auteur à la mode.

C'est l'année, je pense, où Germaine Guèvremont publia Le Survenant qui fut porté à la télévision quinze ans plus tard.

Les changements radicaux qui survinrent dans mon existence et interrompirent brutalement ma carrière par la suite ont commencé, je crois, par un accident d'automobile assez stupide. Je me rappelle encore cette journée désastreuse... pourtant si bien commencée. En compagnie de ma sœur Jeannette et de mon beau-frère, nous roulions en direction de Québec, devisant de choses et d'autres, (lorsqu'une vache quitta l'enclos dans lequel elle se trouvait et traversa la route.) Ce fut l'impact. Ma sœur fut blessée grièvement au dos, au point que sa santé fut hypothéquée durant des années. Je m'en tirai avec des ecchymoses, mais je notai, par la suite, un changement profond... comme une déchirure au fond de moi-même.

Envahie par une lassitude que je combattais, j'éprouvais de plus en plus de mal à retrouver mon énergie d'antan. On aurait dit que, soudainement, ma vie s'enfuyait à tire-d'aile par les fissures invisibles d'un corps qui n'obéissait plus, se rebellait.

Je profitai d'un regain de vitalité pour honorer des contrats aux États-Unis et au Mexique, mais mon état physique ne s'améliorait pas. Au contraire, il se détériorait. Chaque matin, au réveil, j'étais envahie par une mélancolie de plus en plus prononcée. J'essayais de me fouetter, de me convaincre qu'avec quelques jours de repos, ça n'y paraîtrait plus. «Allons Alys, secoue-toi! Ne te laisse pas aller! Fais un petit effort!»

Je revins au Québec, traînant la patte, complètement démolie, avec une seule idée en tête: voir mon médecin au plus vite, me soumettre à des examens complets et me reposer quelque part — je pensais au sanatorium Prévost — pour sortir de la torpeur physique et mentale dans laquelle je m'enfonçais un peu plus chaque jour. Il y avait sûrement un moyen de récupérer dans un minimum de temps.

Comme on le verra, tous mes calculs se révélèrent faux. Par mille et un petits signaux d'alerte, incidents de parcours, brusques sursauts d'énergie alternant avec des affaissements dramatiques, la débâcle s'annonçait. J'avais fait part à maman, inquiète de la tournure des événements, des sombres pressentiments qui me hantaient.

En pleine gloire, au faîte de ma carrière, je dégringolais soudainement dans un grand trou noir, sans grand espoir de revoir la lumière.

— Je ne sais pas ce que j'ai, mais il y a comme une coupure entre la réalité et mes fantômes.

Elle était bouleversée.

— As-tu vu de bons médecins?

— Oui, maman, mais je dois en voir d'autres. Je me sens tellement fatiguée que le moindre geste me coûte un effort considérable. Tenez, au moment où je vous parle, j'ai une envie folle de pleurer.

— Accroche-toi, Alys! suppliait-elle.

Je la sentais angoissée et malheureuse de son impuissance.

Accroche-toi! Ces simples mots martelaient mes tempes. Accroche-toi, Alys! Je m'accrochais, je tenais bon quelques heures, mais le mal galopait en moi.

CHAPITRE 6

Au fond de l'abîme

J'avais la certitude que je resterais très peu longtemps au sanatorium Prévost. J'emportai donc dans une petite valise le strict nécessaire. De nombreuses obligations professionnelles m'attendaient à ma sortie; ce «repos forcé» allait me permettre de faire le point. Même souffrante, en mauvais état physique, je pensais à ma carrière. J'ai toujours pensé que je n'avais pas le droit d'être malade comme tout le monde. Maintes fois, grippée, fiévreuse ou indisposée par les mille et un maux qui sont le propre des femmes, je montais quand même sur scène pour donner mon spectacle.

Durant le trajet qui me conduisait vers le sanatorium Prévost, je réfléchissais à ma récente conversation avec Juliette Huot. Qu'est-ce qui m'avait poussée à lui demander «d'avoir un œil sur moi», ce qui équivalait à dire que je me sentais très peu en sécurité.

J'entretenais des relations très amicales avec mes parents, mais j'aimais que nos retrouvailles occasionnelles, plus rares depuis que je travaillais à l'étranger, soient empreintes de sérénité. À vingt-trois ans, je me disais, avec justesse: «T'es assez grande à présent pour ne pas leur demander de partager tous tes soucis.» Car à part mes pressentiments, mon cœur qui battait la chamade et ma nervosité envahissante, j'aurais été bien en peine d'expliquer les raisons de mon tourment intérieur. Je constatai

83

aussi, avec la soudaineté de l'éclair, combien j'étais seule, moi si entourée, si adulée du public. Et je me répétais tel un leitmotiv: «Alys, connais-tu un ami chez qui tu pourrais frapper et dire: me voilà, j'ai besoin de ton aide?» Malheureusement, je n'arrivais pas à mettre un nom sur un visage.

La vie et l'expérience devaient m'apprendre que les amis sont toujours là si tout va bien, mais ils deviennent évasifs et fuyants si on leur tend la main dans les moments difficiles. J'étais dans cette situation.

À quelle porte aurais-je pu frapper et trouver un ami qui m'aurait accueilli à bras ouverts? Je me posais la question sans trouver de réponse. «C'est ta faute, me disais-je, intérieurement, Tu as épousé un métier, croyant qu'il pouvait tout t'apporter.» Les paroles encourageantes de mon médecin me revenaient en mémoire:

— Ne vous en faites pas, on va vous arranger ça, avait-il dit, paternel, ajoutant que ce ne serait pas très long.

C'était tout de même consolant de l'apprendre de sa bouche. Quelques semaines tout au plus et je repartirais de bon pied. Tous les détails de mon admission à Prévost sont vivaces en ma mémoire. Mes premières journées, entrecoupées d'examens, de siestes, de lecture, se passèrent dans un calme relatif. Des journalistes vinrent me voir, des photographes prirent des photos, bref la vie continuait.

Au lendemain de mon hospitalisation à Prévost, de nombreux articles furent publiés dans les journaux; toutes sortes de rumeurs folichonnes couraient à mon sujet.

Certains affirmaient qu'«une maladie honteuse m'était montée au cerveau». Les rumeurs, il est vrai, ne m'ont jamais beaucoup préoccupée et c'est la raison pour laquelle je ne fis rien pour les démentir. Mon univers — le monde des artistes — est celui des ragots gratuits. Ce qu'on affirme ou n'affirme pas n'a qu'une importance relative et il arrive même que ces cancans entretiennent les mythes, indispensables à la continuité du succès de tel ou tel comédien ou de telle ou telle chanteuse.

Quelques jours après mon installation à Prévost, un médecin gentil, dont je tais volontairement le nom, m'annonça une nouvelle que je n'attendais pas.

— On va vous transférer dans un autre hôpital. Vous y recevrez de meilleurs soins.

— Dans un autre hôpital? Celui-ci ne convient pas?

Dans un doux jargon médical, il m'expliqua que certains établissements sont dotés de services que d'autres n'ont pas. De toute façon, j'anticipais de me retrouver sur pied dans un temps record et j'étais prête à me laisser convaincre qu'un changement d'hôpital pouvait faire la différence entre une convalescence rapide ou longue.

Mieux valait me laisser porter par la vague... j'en serais doublement récompensée. La première chose que je sus, c'est que je me réveillai à la clinique Roy-Rousseau, l'antichambre de Saint-Michel-Archange, à Québec. Comment me trouvais-je là? Je n'en savais rien. Pourquoi étais-je là? Personne ne pouvait répondre à cette question, ni les infirmières, ni les religieuses, ni les médecins qui passaient en coup de vent dans ma chambre. Ils n'étaient pas au courant du dossier, me demandaient de patienter un peu, tout s'arrangerait. C'est drôle comme tout le monde éludait mes questions par cette simple réponse: «Ne vous en faites pas, ça va s'arranger», formule commode pour apaiser mon angoisse grandissante.

J'essayais de mettre de l'ordre dans mon esprit. Sans être vraiment préoccupée par mes affaires matérielles — je venais tout juste d'acheter une grande maison de chambres — j'espérais, intérieurement, si ça ne s'arrangeait pas aussi vite qu'on le disait, que mes chargés d'affaires agiraient pour le mieux.

Et chaque jour, sans me décourager, avec une sorte d'entêtement, j'essayais de savoir pourquoi j'avais été transférée du sanatorium Prévost à la clinique Roy-Rousseau, et combien de temps j'y resterais.

— Pourquoi? demandais-je, de plus en plus angoissée.

— Pour mieux vous soigner, mon enfant, me répondait-on, sur le même ton que le méchant loup s'apprêtant à croquer le petit chaperon rouge.

Un matin, alors que j'étais décidée à en avoir le cœur net, un médecin entra dans ma chambre. Il ne s'attarda pas, comme d'autres le faisaient, à discourir sur ma carrière, mais me fit une injection.

Peu après, on me prévint que je "passerais aux électrochocs» trois fois par semaine. Je fus tentée de protester avec ce qui me restait d'énergie, mais une sorte d'instinct de survivance me conseillait le calme et la soumission la plus totale. Les scènes pénibles qui se déroulaient sous mes yeux, impliquant d'autres malades, m'incitaient à la prudence.

— Mon Dieu, me disais-je, est-ce possible? Que m'arrive-t-il? Vais-je sortir vivante de cet enfer?

Il s'agissait bien d'un enfer. A mesure que le temps passait, je m'étonnais que personne ne prenne de mes nouvelles, ne vienne me voir, pas même mes parents avec lesquels j'étais tendrement liée. Que leur avait-on dit? Par les journaux, ils devaient savoir ce qui se passait.

Leur fille était folle. Si elle ne l'était pas totalement, qu'elle avait encore des lueurs de lucidité, ça ne tarderait plus à ce qu'elle le devienne tout à fait.

Je faisais maintenant partie du peloton «électrochoc». Il n'y avait rien de trop bon pour Alys Robi, et les médecins qui se succédaient à mon chevet, toujours discrets sur les raisons de mon internement, avaient eu l'obligeance de me mettre sur la liste des abonnés.

Trois fois par semaine, avec la horde de malades qui se pressaient dans le corridor, vêtus de leur ridicule petite jaquette jaune, nous attendions à tour de rôle de recevoir notre traitement.

À vrai dire, le rituel était peu compliqué. Au commandement de l'infirmière, le malade s'étendait sur une table, on lui appliquait sur les tempes deux petits blocs de métal, on lui introduisait une éponge dans la bouche pour l'empêcher de se mordre la langue et un technicien appuyait sur une manette qui commandait la charge. C'était une sorte de jouet réduit dont on abusait pour maîtriser l'agressivité en puissance des malades.

Trois fois par semaine, on venait me chercher pour mon traitement... sans que j'eus droit à la plus élémentaire explication.

— C'est aujourd'hui, Madame Robi.

— Encore.

Parfois, je parvenais difficilement à contrôler ma colère. Néanmoins, craignant les représailles, les bains froids et les piqûres, je me faisais violence. Me révolter n'aurait servi à rien, car l'hôpital disposait de tout un arsenal pour mâter les résistances.

Si un patient manifestait trop d'agressivité, il goûtait à la médecine de la maison. Des infirmières musclées le terrassaient, lui passaient une camisole de force, l'attachaient sur une civière et le transportaient à Saint-Michel où on lui administrait des tranquillisants. Quoique profane en la matière, j'étais consciente que l'hôpital disposait d'une gamme impressionnante de «moyens persuasifs».

Des nuits entières, la tête dans mon oreiller pour étouffer mes sanglots, j'appelais Dieu, à l'aide!, papa, maman, tous ceux que j'aimais. Mais personne ne venait. J'étouffais mes sanglots de crainte qu'ils ne soient perçus et interprétés comme des crises solitaires, nécessitant un calmant approprié.

Étais-je aussi «troublée», pour ne pas dire folle, qu'on le prétendait? Il me restait tout de même, dans ma présumée grande noirceur, assez de lucidité et d'esprit d'analyse pour juger des faits brutalement. Je me trouvais à Roy-Rousseau, l'antichambre de Saint-Michel-Archange. Les deux institutions avaient des façades différentes, mais de longs tunnels les unissaient comme les doigts d'une seule main.

À mesure que les semaines et les mois s'accumulaient, que tous mes espoirs d'en sortir fondaient à vue d'oeil, que mes interrogations restaient sans réponse, j'étais bien obligée d'accepter le décor démoralisant dans lequel je vivais.

L'être humain possède un incroyable pouvoir d'adaptation. Sous les épreuves accumulées, les murs blanchis à la chaux, l'univers rétréci imposé aux malades, la répression systématique, malicieuse et vindicative parfois, l'esprit humain a la faculté de recréer un autre monde, de vagabonder, de trouver un équilibre entre la souffrance et le rêve. Je notai aussi, au jour le jour, l'influence des habitudes dans notre morose quotidien. Même à l'hôpital, entre quatre murs, toute une série de petites choses anodines devenaient importantes et contribuaient à diluer menaces et problèmes et à créer une fausse sécurité. J'ai vécu ces moments-là, m'accrochant à tout ce qui pouvait me permettre d'espérer. Je devais sortir de là? Comment? Je l'ignorais.

J'espérais de tout mon cœur que de l'aide me vienne de l'extérieur. Je me rappelais mon appel à Juliette Huot, avant mon départ pour Prévost. Oublierait-elle ce que je lui avais demandé? Et mes parents? J'étais torturée à l'extrême, mais surtout, je ne cessais de me répéter que je ne devais pas devenir folle. Qui donc avait intérêt à ce que je le devienne? Je ne savais plus, je ne comprenais pas que les médecins me donnent des traitements sans mon assentiment et sans me fournir d'explications.

Ma descente aux enfers se poursuivit lorsqu'on décida de me transférer, sans m'en parler, de Roy-

Rousseau à Saint-Michel-Archange, avec les fous. On me transporta sur une civière à travers les longs couloirs et je compris que, loin de s'améliorer, ma situation se détériorait.

Le processus de ma dégringolade s'accélérait. Après avoir connu les sommets, je me retrouvais — attachée sur une civière — chez les malades mentaux. Je pleurais silencieusement en pensant à ma carrière, à mon impuissance face à une machine institutionnelle qui me dévorait mes dernières énergies. Combien de temps durerait ce calvaire? Aurais-je seulement la force d'aller au bout de l'épreuve? Je passai les premiers jours et les premières nuits dans un grand dortoir avec d'autres malheureux, hébêtés ou bavards.

Certaines patientes montraient de solides dispositions pour les monologues décousus que j'écoutais, d'une oreille distraite, en m'efforçant de ne plus penser.

C'était un mauvais rêve, un cauchemar... Ici, Alys Robi n'était personne, mais une folle parmi tant d'autres! Au lendemain de mon transfert à Saint-Michel-Archange, je pus échanger quelques mots avec un jeune médecin. Il avait une quarantaine d'années, pas trop mal de sa personne et ses lunettes d'écaille lui donnaient un petit air intellectuel.

— Bonjour, Madame Robi.

— Bonjour docteur.

— Alors, ça va un peu mieux?

— Au contraire, ça va très mal. Mais je vois que je n'ai rien à dire. Comment se fait-il que je sois dans cette salle?

— C'est provisoire, Madame Robi... tout à fait provisoire.

Je le regardai, l'air implorant.

— Vous n'êtes pas sans savoir qui je suis?

— Mais oui, Madame Robi, je sais qui vous êtes. Vous êtes Alys Robi, n'est-ce-pas?

— Je suis Alys Robi, répétais-je, avec véhémence.

— Personne n'en doute, Madame Robi. Mais qu'est-ce qui ne va pas?

— Je suis une artiste et j'ai chanté devant les plus grandes célébrités.

— Oui, nous savons ça.

Il me tapotait la main, sans doute pour calmer ma colère croissante, mais ce geste anodin ne fit que l'accroître. Et je poursuivis, le verbe haut:

— Je suis Alys Robi, une grande artiste. C'est humiliant ce que vous me faites.

— Ça va s'arranger, Madame Robi. Patientez encore un peu.

Je dois avouer que je suis une personne plutôt vive; je serais malhonnête de prétendre que je possède le flegme britannique. En certaines occasions, et c'est là l'une des facettes de mon tempérament latin, j'explose, je sors de mes gonds. Aujourd'hui, en recousant les pièces d'un scénario aux nombreux épisodes tragiques, je crois que mon humeur belliqueuse accréditait la gravité de ma maladie. Torturée à l'extrême par la longueur de mon internement, il m'était difficile d'être parfaitement cohérente. Et le réquisitoire que je servis à l'emporte-pièce au médecin, dont le sourire fit enfler ma colère, eut comme résultat de me desservir dans son esprit. Selon lui, La Robi était folle à lier, tout juste bonne pour la cellule.

Et c'est là que je me retrouvai, quelques jours plus tard, la mort dans l'âme, désespérant de tout et de moi-même.

CHAPITRE 7

En cellule chez les aliénés

À l'époque où je décidai de m'installer quelques semaines au sanatorium Prévost pour refaire mes forces, j'étais probablement sur la route de la dépression nerveuse. Les exigences de mon métier, la vie nocturne dans les cabarets, les horaires capricieux, une alimentation déréglée, le stress eurent raison de mon équilibre.

La santé physique et mentale est un bien précieux et on a toujours tort d'ignorer les signaux d'alerte. Dans mon cas, emportée dans le tourbillon d'une carrière qui me forçait à des déplacements continuels et à de véritables acrobaties, j'avais présumé de mes forces. J'exerçais depuis l'adolescence un métier exigeant, très peu prévenue des dangers qu'entraîne une vie trépidante qui fait abstraction de repos. Les signes avant-coureurs de ma maladie s'exprimaient déjà par mes comportements bizarres, une tendance à me croire persécutée et une humeur changeante ponctuée de découragements profonds.

J'étais, sans le savoir, sur une pente dangereuse et j'utilisais mes dernières ressources à me convaincre d'un bien-être qui n'existait que dans mon imagination. J'étais un peu comme l'alcoolique qui refuse d'admettre qu'il a un coup de pommard dans le nez. Aujourd'hui, une dépression nerveuse se soigne avec des moyens moins radicaux que ceux qui furent utilisés dans mon cas. Étais-je aux frontières de la folie? Qui peut le dire? Toutefois, atteinte ou non de mentisme[1], je me suis souvenue de tous les détails de mes cinq années d'internement, des noms des médecins, des religieuses et des infirmières.

Peu après ma brève altercation verbale avec le médecin, je fus placée dans une cellule grande comme un mouchoir de poche. Tous les objets qui la meublaient

(1) Trouble intellectuel caractérisé par une succession d'idées qui se développent d'une façon incohérente.

étaient rivés au plancher, pour éviter que les patients ne les fassent voler dans un accès de rage ou ne s'en servent contre leurs gardiens.

Une étroite ouverture pratiquée dans le mur servait à introduire les plats de métal contenant notre pitance quotidienne préparée par des cuisiniers de troisième ordre. Dans un coin, la toilette ressemblait à toutes celles qu'on trouve dans les pénitenciers d'État. C'était là l'univers — mon univers — dans lequel je fus forcée de vivre durant presque tout mon internement. Heureusement, une foi intense m'animait et m'a soutenue tout au long du calvaire que je dus gravir.

En examinant ma prison, la grille de fer qui me séparait de la liberté, ce fut comme un coup de couteau qu'on enfonçait au plus profond de mon être. La pauvre Alys Robi avait perdu de sa superbe. Elle n'était plus qu'une toute petite fille recroquevillée sur elle-même, à la merci des événements, d'un médecin zélé, farouche partisan de l'électrochoc ou autres méthodes de traitement. On ne voulait pas tant me guérir que me dompter, et je savais que l'on n'hésiterait pas à employer les grands moyens.

Je coulais à pic, sans que personne ne me tende la main. Je m'agenouillai près du lit de fer qui serait désormais ma couche, et j'adressai, entre deux sanglots, une prière à celui qui pouvait encore m'entendre, Dieu.

Dès le moment où je mis les pieds dans cette cellule, je compris l'ampleur du désastre et de ma solitude. Désastre, car ma carrière était fichue, lessivée; solitude, parce que personne — pas âme qui vive — n'était venu me voir depuis le début de mon internement. Les amis, ils avaient des noms, des visages. Au temps des jours heureux, ils m'embrassaient, me cajolaient, juraient sur notre amitié indéfectible; j'y croyais, y répondais. À présent, je savais la valeur des belles promesses faites autour d'un bar ou d'une table de restaurant.

À genoux dans un coin de la cellule, pour éviter qu'on

ne me voie du corridor et qu'on ne me croie encore plus folle que je ne l'étais, je demandai à Dieu la force et le courage pour traverser l'orage qui s'annonçait.

— Mon Dieu, prenez pitié de moi. Je ne pense pas avoir mérité un tel sort. Aidez-moi à garder ce qui me reste de raison. Aidez-moi à supporter les humiliations et à conserver mon calme. Seigneur, faites qu'on m'aime un peu, qu'on ne m'oublie pas tout à fait de l'extérieur... qu'on ne m'oublie pas... qu'on ne m'oublie pas...

Ma première nuit dans cette cellule faite sur mesure pour condamné à mort fut presque calme. Mais en m'éveillant le lendemain, mes yeux se posèrent sur la grille de fer et je réprimai un cri d'effroi. Le cauchemar continuait. Les bruits de pas qui martelaient le carrelage du corridor me projetèrent à nouveau dans la terrible réalité; j'étais devenue quelque chose comme une planche ballottée par la vague, sans espoir d'atteindre le rivage.

— Votre petit déjeuner, Madame Robi.

On me glissait une assiette en tôle par l'ouverture étroite pratiquée dans le mur. Geste machinal qu'on répétait d'une cellule à l'autre.

— Votre petit déjeuner, Madame Bégin.

— Votre petit déjeuner, Madame Lauzon.

Les repas étaient sujets à divers incidents, à des disputes verbales et même à des bagarres.

— Elle m'a volé mon pain, criait une malade, portant un doigt vengeur vers la voleuse qui, pour ne pas être prise sur le fait par les gardiennes, l'avalait gloutonnement ou le glissait dans sa brassière.

— Mon pain! Je veux mon pain! hurlait la victime, au bord de la crise d'hystérie.

Un incident parmi tant d'autres, mais il arrivait souvent qu'une malade se mît à hurler soudainement, déclenchant une hystérie collective et obligeant le personnel à sortir les camisoles. C'était la ronde du «camisolage». Des larcins de toutes sortes contribuaient aussi à déclencher les hostilités. *La disparition d'un paquet de cigarettes, d'un colifichet quelconque mettait le feu aux poudres.*

— *Madame Chose m'a chipé mon paquet de cigarettes.*

— *C'est pas vrai!* hurlait l'accusée.

— *Je vous ai vue le prendre. Vous êtes une menteuse!*

Les gardes intervenaient pour mettre fin à l'altercation et obliger Madame Chose à rendre le paquet de cigarettes.

— *Avez-vous pris le paquet de cigarettes de Madame Unetelle?*

— *Moi, jamais... je ne fume pas,* répliquait Madame Chose, *tournant le dos à son accusatrice.*

À l'heure de la récréation, après le dîner, les patientes se précipitaient, avec des petits cris de joie, vers la berceuse de leur choix ou leur fauteuil favori. Elles se sentaient extrêmement malheureuses si on modifiait leur routine ou si quelqu'un, par mégarde, s'appropriait ce qu'elles croyaient être à elles. Certaines livraient même bataille pour recouvrer leur bien.

′ Toutes les journées se ressemblaient. Après la ronde des médicaments, des piqûres, des traitements particuliers et des électrochocs, je pouvais m'évader de ma cellule pour m'asseoir avec les autres dans la grande salle commune (solarium)[2]. Les belles journées, le soleil y pénétrait par les larges fenêtres et je m'amusais à voir les rayons scintiller dans la place comme des démons de joie.

Mais tout n'était pas d'un calme plat de chaloupe au repos. La salle commune restait le lieu central du «papotage» et des petits règlements de comptes. Les animosités éclataient pour des riens ou tout simplement parce que la tête de l'une ne revenait pas à l'autre.

---

(2) On donne, dans les hôpitaux, une signification inexacte au mot solarium. C'est pourquoi nous employons le terme «salle commune».

— Vous êtes ben bête, vous!

— Je suis bête, mais je ne suis pas stupide.

— Vous êtes les deux... bête et stupide.

— Si ma tête ne vous plaît pas, regardez ailleurs.

— Allez donc vous coucher avant qu'on vous passe la camisole.

— S'il y a une folle, ici, c'est vous!

Ces dames s'enguirlandaient à qui mieux mieux et s'arrachaient parfois quelques bonnes poignées de cheveux avant que les gardiennes n'arrivent à les maîtriser. Les unes se berçaient en chantonnant une complainte, toujours la même; les autres marmonnaient ou s'engageaient dans de longs monologues entrecoupés de petits rires, de battements de mains ou de soudaines crises de larmes.

Ce monde fut le mien durant cinq longues années, sans qu'il me soit possible, malgré des efforts sérieux, de me lier d'amitié avec l'une ou l'autre des pensionnaires de Saint-Michel. À un certain moment, je crus déceler un certain intérêt chez une quinquagénaire qui venait souvent s'asseoir près de moi, mais après une dizaine de minutes de conversation, elle se renfrognait, se réfugiait dans son rêve intérieur. Enfin, dans mon ciel chargé de nuages sombres, il y eut une éclaircie. Mon père fut autorisé à me voir... à certaines conditions. L'entretien aurait lieu au parloir, en présence d'une religieuse de l'institution. J'attendis le jour de la visite avec une folle impatience. Cette autorisation me semblait significative. Je ne serais plus coupée du monde extérieur, comme je l'avais été durant plusieurs mois. Je pourrais avoir «de la visite», du monde à moi, des amis, maman, bref, ceux que j'aimais.

Au jour fixé par les autorités de l'hôpital, mon père se présenta au parloir, une grosse corbeille de fruits dans les bras. Nous nous regardâmes quelques secondes. J'essayai de lire dans ses yeux autre chose que la pitié.

— Comment vas-tu, Alys?

Sa voix tremblotait. Je le connaissais assez pour savoir qu'il souffrait de me voir là.

— Ça va bien, papa, très bien.

Aurais-je pu répondre autre chose? La religieuse était debout, derrière moi, comme un soldat gardant un prisonnier.

— Tu as l'air bien, Alys.

— Oui, papa, comme tu vois. Et comment va maman, la famille?

— Très, bien Alys. Nous n'avons pas trop à nous plaindre.

— Papa, je t'en prie, fais-moi sortir d'ici! N'épargne rien. Fais tout ce qu'il faut. Je suis mortellement inquiète, aux abois. Papa, essaie de comprendre: je vais mourir si tu ne me sors pas de là.

Peut-être lut-il dans mes yeux autre chose qu'un S.O.S. Peut-être crut-il, à ma façon de le regarder, que j'étais fiévreuse ou surexcitée. Je ne sais pas. Mais mes yeux racontaient le calvaire que je vivais.

Il me parla de choses et d'autres, de la famille qui avait tenu un conseil, à mon sujet, de quelques amis que je connaissais, de la pluie et du beau temps, de ma carrière interrompue. J'aurais été rassurée s'il m'avait dit les seuls mots que j'attendais: «Alys, nous avons fait des démarches pour te sortir de là. Ça ne devrait pas être long.»

La religieuse ne nous quittait pas des yeux, épiant nos paroles comme si elle craignait que je dise à mon père des énormités susceptibles de nuire aux intérêts de l'hôpital.

Il me semble, aujourd'hui, que j'aurais dû discuter ouvertement avec mon père, malgré la présence de ma garde-chiourme. Mais une sorte de pudeur me retenait, probablement la peur aussi. Si j'avais dit que je vivais un véritable enfer, mes paroles auraient sûrement été rapportées à la haute direction. Je ne voulais pour rien au monde m'exposer à des représailles, quoique l'honnêteté me commande de dire que je ne fus pas maltraitée à Saint-Michel-Archange. Le personnel de l'hôpital eut pour moi des égards, et certaines religieuses se montrèrent compatissantes envers moi.

Enfermée dans un asile d'aliénés, je restais quand même, pour la majorité des membres du personnel, une grande artiste, que le destin desservait. Mes disques, qui continuaient à tourner à la radio, me rappelaient à mes admirateurs et plusieurs journaux contribuaient aussi à m'assurer une certaine présence dans le public. Je n'avais donc pas quitté complètement la scène, puisque je restais présente dans l'esprit de mon public québécois. Toutefois, les spéculations allaient bon train. Quelques journalistes croyaient connaître la gravité de ma maladie et posaient la question: «La carrière d'Alys Robi est-elle terminée?» Guérira-t-elle?

Et suivaient, à mots voilés, de longues explications sur la nature présumée de mon mal. On ne disait pas carrément que j'avais «l'esprit troublé», mais on laissait entendre que mon cerveau n'était plus apte à comprendre les choses les plus simples.

C'est probablement à tout cela que pensait mon père, lors de notre rencontre au parloir de Saint-Michel-Archange. Je lisais dans ses yeux ce qu'il ne pouvait me dire.

Dans quelle mesure croyait-il à ma réhabilitation? En rentrant chez lui, il dirait probablement aux autres membres de la famille: «Aujourd'hui, j'ai trouvé Alys en forme. Elle a de bons moments de lucidité.»

L'entretien tirait à sa fin et je regardais mon père avec la même intensité qu'à son arrivée. «Papa, pour l'amour du ciel, essaie de comprendre.» Mais il ne comprenait pas.

— Je t'ai apporté une corbeille de fruits. Ils sont très beaux.

— C'est terminé, dit la religieuse, votre temps est écoulé. Il ne faut pas fatiguer notre malade.

Mon père se leva, me prit dans ses bras, m'embrassa distraitement.

— À bientôt, Alys.

Je le regardai s'éloigner, le cœur serré. Ça ne s'était pas passé comme je l'aurais voulu. J'aurais pu, pensais-je, lui écrire quelques mots sur un bout de papier et lui glisser discrètement mon message dans la main. Il était trop tard. Il avait dit «à bientôt», mais je me gardai bien de me faire des illusions.

Toutefois, plusieurs mois après mon internement, une bonne nouvelle me tomba du ciel. Je dis qu'elle me tomba du ciel, car elle était inespérée.

Je pourrais sortir, quitter l'hôpital deux ou trois jours pour aller dans ma famille, et voir mon frère Gérard, alors très malade. Je n'en croyais pas mes oreilles. «Vous pouvez séjourner dans votre famille», m'avait dit un médecin. Cette permission, inattendue, me laissait abasourdie. Quitter l'hôpital, redevenir libre, c'était presque trop beau pour y croire. Toutefois, tel que promis, je pus sortir.

Mon frère Gérard, que j'adorais, souffrait stoïquement le martyre, soutenu par une foi inébranlable et un courage jamais démenti. Tout le quartier le connaissait, l'appréciait, compatissait à ses souffrances. De toute ma vie, j'ai rarement vu un pareil courant de sympathie et de fraternité se manifester pour un simple jeune homme. Cependant, avec les années, les gens du quartier, curieux de nature et au courant de son drame, se mirent à répandre le bruit qu'il y avait un «saint» dans la famille des Robitaille.

— Comment va votre Gérard? demandaient-ils à maman, lorsqu'ils la croisaient sur la rue.

— Il supporte son mal avec courage, ne se plaint pas et prie Dieu d'épargner aux autres ce qu'il endure, disait maman, dévouée infirmière de tous les instants, mobilisée durant des années par la maladie de Gérard.

Elle le nourrissait à la cuillère et ne sortait presque plus de la maison, de crainte de voir son fils bien-aimé trépasser en son absence.

La maladie de Gérard, mon cadet de cinq ans, débordait largement le cadre familial. Sa douceur, son mysticisme, son esprit de résignation contribuaient à faire de lui — ce qu'il n'avait pas cherché — un personnage exemplaire, digne d'admiration. Son agonie intensifia mes propres tourments, accéléra le processus de ma maladie. Partout, son image me poursuivait, je n'arrivais pas à la chasser de mon esprit.

De l'hôpital, j'écrivais lettre sur lettre à mes parents pour demander des nouvelles de Gérard. «Je ne veux pas que vous me cachiez la vérité. Je sais que ça va très mal, et j'exige d'être à son chevet. Vous savez à quel point je l'aime, aussi je vous demande d'intervenir auprès des autorités de l'hôpital pour que je sorte d'ici. Il faut que je voie Gérard!»

Mes parents firent donc les démarches nécessaires et obtinrent que je sois provisoirement «relâchée».

J'arrivai à la maison pleine de joie, croyant que ce séjour auprès des miens allait me faire du bien physiquement et moralement. J'étais extrêmement dépressive au point de pleurer pour des riens. Certains jours, je pensais que je portais le monde sur mon dos, tant je me sentais écrasée.

À peine étais-je entrée chez mes parents, que je voulus voir Gérard.

— Non, pas maintenant, dit papa.

Cette opposition inattendue me fouetta.

— Tu ne veux pas me laisser voir Gérard! m'écriais-je, surexcitée.

— Calme-toi, Alys! Tu le verras un peu plus tard. Prends un thé et détends-toi un moment...

Je l'interrompis brutalement. J'étais hors de moi.

— Tu m'interdis de voir Gérard? Je suis venue pour le voir... et je vais le voir!

Ce disant, je me levai et fis quelques pas dans la direction de la chambre de Gérard.

— Alys, assieds-toi! commanda papa, s'interposant entre la porte de la chambre et moi.

— Non, je ne veux pas m'asseoir!

Ma mère, jusque-là silencieuse, intervint pour mettre un terme à l'escalade de ma fureur envahissante:

— Alys, pour l'amour du ciel, veux-tu être raisonnable?

Sa voix suppliait, mais le fait de me demander d'être raisonnable, alors que j'étais hospitalisée dans un asile, accentua mon agressivité.

Je repoussai violemment mon père et ouvris la porte de la chambre de Gérard. Tout d'abord, les rideaux étant tirés, je ne distinguai qu'une forme étendue sur le lit. Je m'avançai dans la pénombre, appelant mon frère, mais n'obtins aucune réponse.

— Gérard! criais-je.

Ma mère avait à son tour pénétré dans la chambre; m'entourant de ses bras, elle essayait de me calmer.

— Alys, il ne peut pas te parler, sa langue est paralysée. Il ne peut pas non plus te voir, il est devenu aveugle.

Sous l'effet du choc brutal, je m'écroulai, râlant, appelant interminablement le nom de mon frère.

Cette scène dramatique avait bouleversé la maisonnée, mais mes parents n'étaient pas au bout de leurs émotions. L'état de Gérard empirait, et mon père crut nécessaire d'alerter les autorités religieuses. Cela signifiait qu'on allait lui donner les derniers sacrements, et je m'insurgeai à nouveau contre cette mesure extrême.

— Non, il va vivre! Il va vivre! Gérard!... Gérard!

À genoux au pied du lit de mon frère, j'essayai de

redonner leur forme première à ses pieds tordus par la maladie, tirant à droite et à gauche.

— Assez! cria mon père.

Mais je ne l'entendais pas, en proie à une véritable crise de nerfs.

Mon frère succomba le jour même et la nouvelle de sa mort se répandit comme une traînée de poudre. Il mourut à dix-neuf ans et demi, ne pesant que 47 livres. C'était bien peu pour un homme de presque six pieds (1,80 m).

Il eut des funérailles comme en ont les personnages importants. La mort de mon frère me laissa sans force, désemparée, plus angoissée que jamais. Mon système nerveux ne résista pas à ce nouveau choc. Je luttai pendant quelques jours contre mes fantômes, m'accrochant désespérément à tout ce qui pouvait me permettre de surnager.

Puis, imperceptiblement, effondrée moralement et physiquement, je sombrai dans l'étang aux eaux glauques, incapable de résister au vertige qui m'emportait.

On aurait dit, à cette période de ma vie, que tout se liguait contre moi.

Un soir, à l'heure du souper, on frappa à la porte. Maman alla ouvrir et deux hommes en sarrau blanc pénétrèrent dans la cuisine et s'identifièrent.

— Nous venons chercher Madame Robi.

Ce fut le drame et il s'en fallut de peu que la bagarre n'éclate entre mon père et les infirmiers de Saint-Michel-Archange. Je ne comprenais plus. Pourquoi, brutalement, faisait-on irruption chez mes parents pour me ramener dans ma prison?

— Ce sont les ordres de l'hôpital. Madame Robi doit nous suivre de gré ou de force.

Ma famille était sur les dents, dans un état facile à comprendre. Éjecter les infirmiers n'aurait servi à rien: ils seraient revenus en force.

— Très bien, dis-je, réprimant mes larmes, je vous suis, messieurs.

Et je sortis calmement derrière eux, plus morte que vive, après avoir embrassé les membres de ma famille. Je pensais que toute résistance aurait aggravé mon cas et j'espérais, en suivant docilement les gardiens, que les médecins me donneraient de bonnes notes.

Mais mon geste naïf allait me coûter plusieurs années de ma vie.

CHAPITRE 8

On m'opère au cerveau

De retour à l'hôpital, je n'eus pas à me demander pourquoi deux infirmiers étaient venus me chercher en ambulance, chez mes parents. J'étais maintenant «programmée» pour subir toute une série de traitements susceptibles d'atténuer ma maladie ou de m'en guérir. On me donna même une injection appelée «piqûre du délire» et je délirai durant des heures, jusqu'à épuisement. Ce traitement, me dit-on, était indispensable à ma guérison. Quant aux électrochocs, ils recommencèrent à répétition, selon le rituel établi.

Je me rappelle qu'on nous donnait, après la séance, une boisson orangée et sucrée, sans doute pour nous «faire passer» le goût de l'électrochoc.

Ce qui m'a étonnée le plus à Saint-Michel-Archange (c'était la même chose dans tous les asiles du Québec), c'est la façon cavalière dont on disposait des malades et le silence dans lequel on les tenait sur la nature des traitements qu'on leur imposait. Il y avait, bien sûr, des malades incapables de réagir ou de comprendre ce qui leur arrivait, mais il y en avait d'autres parfaitement en mesure de comprendre qu'ils étaient victimes d'une manipulation étroite.

Toutefois, l'engrenage dans lequel se trouvait le patient ne favorisait pas la communication, mais le conditionnait plutôt à la peur... et à la soumission. Une fois de *plus, j'étais préparée à me laisser tondre, tel un mouton, si on l'exigeait, tant l'appareil de répression glaçait le sang dans les veines.*

Qu'est-ce qui allait m'arriver à présent? À quel machine allait-on soumettre les grandes questions: Alys Robi était-elle apte à retourner parmi les siens? Serait-elle un danger pour elle-même et pour la société? Quel était le traitement qu'on devait lui appliquer?

Bien entendu, mes fameuses «permissions» avaient été supprimées et toute visite m'était interdite. Chaque fois que je demandais à un médecin à quel moment je pourrais retourner dans ma famille, pour y passer quelques jours, il répondait, sardonique:

— Bientôt, Madame Robi.

Je voulais avoir des précisions.

— Dans un mois, docteur?

— Nous verrons, Madame Robi. Laissons le temps arranger les choses.

— Je suis donc si malade, docteur?

—Vous êtes très malade, Madame Robi, mais vous êtes jeune et vous pourrez vite remonter la pente.

J'étais jeune... et j'avais tendance à l'oublier. À mon âge, les jeunes filles s'amusaient, se laissaient courtiser, se mariaient pour fonder un foyer. Elles appréciaient la vie, l'amour, la liberté. Elles n'avaient pas connu la gloire ni atteint les cimes d'une célébrité éphémère, mais elles disposaient de leur existence, alors que les médecins disposaient de la mienne.

D'une certaine façon, mon destin était tragique. À quoi cela me servait-il d'avoir atteint la renommée, si je devais vivre le reste de ma vie dans un asile d'aliénés? Car rien n'indiquait — pas le moindre espoir — que je serais bientôt libérée.

J'étais dans le noir le plus complet. Le contact quotidien de l'hôpital, de la souffrance, de la maladie, du désespoir, de l'inutilité me forçait à réfléchir sur mon pré-

sent et les lendemains incertains. Quel triste sort Dieu me réservait-il? Je n'osais y penser.

La perspective de passer la fin de mes jours entre ma cellule, le réfectoire, quand on m'autorisait à y aller, et la salle commune où se retrouvaient de pauvres êtres habités par leurs démons et leurs phantasmes, ne me souriait guère. Mieux valait mourir que supporter une telle existence. Qui sait si, un jour, dans un moment d'affreux découragement, je ne m'ouvrirais pas les veines.

Ce serait encore une solution moins dramatique que celle de finir mes jours à l'état de «légume».

À ce stade de ma maladie, je n'en menais pas large. Comment pouvait-il en être autrement? Trop de choses, de détails, de contrariétés, me démoralisaient. Le fait, par exemple, de me rendre au réfectoire et de voir la nourriture dans les chaudières d'aluminium me faisait penser aux fermiers qui déversent de larges chaudières de déchets de table dans l'auge des cochons. Dans ces récipients aussi hauts que larges, nageaient les hachis aux couleurs grisâtres, les fèves au lard et autres mets à décourager les palais un peu raffinés. Je constatais que les patients étaient nourris tels des animaux à qui les maîtres jettent les restes de la table. On pourra toujours invoquer que les chaudières correspondaient aux normes de l'hygiène, mais ma sensibilité à fleur de peau subissait l'impact de ces images dévalorisantes. On dirait que la maladie engendre la déconsidération des biens-portants.

Cette déconsidération s'exprimait par la façon méprisante de plusieurs membres du personnel de régler le cas d'une patiente.

— C'est une C... de folle! disaient-ils, parlant de madame X, Y, Z.

Mais le cynisme allait beaucoup plus loin dans l'évaluation ou la perception d'un «cas». Les «mentales», dont j'étais, alimentaient les quolibets et les plaisanteries d'un goût douteux.

Comme je l'ai expliqué par la suite à des intimes, «je ne suis pas devenue folle, car je voyais toujours la lumière à travers mes ténèbres».

Bien sûr, durant toutes ces années, j'ai souffert atrocement, mais la souffrance des autres décuplait la mienne. Ah! mon Dieu! pourquoi m'avez-vous abandonnée? Car depuis ma visite chez mes parents, interrompue brutalement par des infirmiers, c'était le désert autour de moi. J'étais coupée de tout contact avec l'extérieur et, par la force des circonstances, je vécus dans un monde abstrait, irréel... celui de l'imaginaire.

Je découvris, beaucoup plus tard, à ma libération, à quel point l'esprit humain est vite façonné par son milieu. Il y a, je pense, la réalité imposée et l'abstraction. On finit par s'habituer et se complaire dans l'exploration d'un univers individuel hermétique et sécurisant.

À l'époque, l'aliénation mentale était considérée comme une tare indélébile, quelque chose de honteux qu'il fallait cacher. Pourtant, en chaque être humain, il y a un grain de folie. Des circonstances difficiles — le refus que la sensibilité oppose à la réalité — lui font prendre diverses formes: exaltation, hallucination, pure inconscience, délire, etc.

Ma lucidité n'a jamais été en cause. «Étiez-vous dangereuse?» m'a-t-on parfois naïvement demandé, avec une délicatesse d'éléphant pénétrant dans une maison de verre. Dangereuse? Pas plus que tous les mégalomanes, nymphomanes et hystériques qui circulent dans les rues.

Je n'étais donc pas dangereuse, mais plutôt apeurée, prostrée sur moi-même, profondément découragée, avec des moments d'exaltation qui duraient quelques heures. J'alternais entre l'optimisme et le pessimisme le plus noir. Tantôt je me sentais de taille à transporter des montagnes, tantôt j'avais tout juste l'énergie de me tenir debout.

Quatre longues années s'écoulèrent, avec des hauts et des bas, sans que rien ne vienne modifier une existence tout à fait routinière, mortellement ennuyeuse. Comme dans la chanson, je regardais passer le temps, naître et mourir les saisons, dans la plus totale solitude. Hormis la visite de mon père, je passai quatre longues années dans la plus complète ignorance du sort qu'on me réservait. Vers la fin de ma cinquième année d'internement, alors que je désespérais de recouvrer la liberté, j'eus la réponse à mes questions.

Un jour, après le souper, une femme entra dans ma cellule. Je ne me souvenais pas de l'avoir vue sur l'étage. Elle déclina ses titres et qualités (elle était médecin) et me dit, après une courte conversation à bâtons rompus, qu'elle allait me donner une injection.

À quoi bon m'étonner? Une injection de plus ou de moins... Si on avait décidé de m'en donner une douzaine tous les jours, je n'aurais même pas pu protester. Une aliénée mentale ne dispose pas de son corps; les spécialistes en disposent pour elle.

— Allez-y, dis-je, résignée, croyant qu'elle m'administrerait un quelconque soporifique.

Le lendemain, au réveil, j'éprouvai une sensation étrange comme si ma tête était soudainement devenue légère. D'un geste vif, instinctif, je levai les mains pour saisir mon opulente chevelure. Mes doigts voltigèrent jusqu'à mon crâne... pour découvrir qu'il était complètement rasé... Estomaquée, je me redressai dans mon lit, criant: «Mes cheveux! mes cheveux! Qu'est-ce qu'on a fait de mes cheveux?» Je faillis «piquer» une crise, mais des infirmières accoururent et m'expliquèrent que j'allais subir une intervention chirurgicale.

— On vous opère ce matin.
— On m'opère?
— Oui, dans une heure.

— Pourquoi?

— Vous le demanderez au médecin.

Lorsqu'on vint me chercher un peu plus tard, je m'étendis sur la civière sans le secours de personne. On ne m'avait pas rasé la tête pour m'opérer dans l'estomac. Je comprenais que quelque chose de sérieux allait se produire. On allait m'opérer dans la tête, mais au point où j'en étais, cela avait-il de l'importance? Durant le trajet qui me séparait de ma chambre à la salle d'opération, j'adressai à Dieu une fervente prière.

— Je suis prête à mourir, tout peut m'arriver, je suis résignée au pire. Mon Dieu, si vous m'apportez la délivrance, faites-moi une petite place près de vous. Durant ma courte vie, j'ai essayé de faire de mon mieux. Je suis comme Job, Seigneur; vous m'aviez tout donné, vous m'avez tout ôté. Mais je suis prête à mourir... et j'accepte sereinement de quitter cette terre de souffrance.

Mais le moment de ma mort n'était pas arrivé. L'opération eut lieu et je me réveillai, un turban sur la tête.

Qu'est-ce qu'on m'avait fait? Mais que me ferait-on encore? Je continuais à me le demander. Mais il semblait, à la satisfaction que je lisais sur le visage du personnel médical qui m'entourait à ce moment-là, que j'avais franchi victorieusement une étape difficile.

— Un cas rare, disaient les uns, m'examinant telle une bête curieuse.

— Oui, une intervention réussie... remarquable.

J'étais donc, pour tout le monde, un «beau coup de bistouri». Peu de temps après, une religieuse vint me voir pour me prévenir qu'on allait m'enlever mes points de suture.

— Ça ne vous fera pas mal, promit-elle. Ne vous inquiétez pas... ça se fera très vite.

Dans ma chambre, ce jour-là, outre le neurologue de renom qui m'avait opérée, je vis, au pied du lit, de jeunes gens qui me dévoraient des yeux. Ils écoutaient religieusement les explications du spécialiste concernant ma «délicate intervention». C'est à ce moment que j'appris qu'on avait pratiqué sur ma personne un certain type de lobotomie[1] très rare.

Je ne sus que beaucoup plus tard ce que signifiait le mot lobotomie; certaines interventions réussissaient, d'autres échouaient. Les uns — et c'était mon cas — pouvaient continuer à vivre normalement, les autres devenaient des «légumes».

Le temps passa, mes plaies se cicatrisèrent et mes cheveux repoussèrent. Une bonne journée, à l'heure du midi, une religieuse m'annonça une étrange nouvelle.

— Faites vos bagages, vous pouvez partir.

— Partir, définitivement?

— Oui, vous partez... et j'espère qu'on ne vous reverra plus ici.

Je n'en croyais pas mes oreilles. J'étais donc guérie. Je pourrais continuer ma carrière, retrouver ma famille, mes amis... être libre. Quel choc!

En rangeant mes effets personnels dans la petite valise que j'avais préparée pour passer une quinzaine de jours au sanatorium Prévost, cinq ans plus tôt, j'avais du mal à m'imaginer que je franchirais le seuil de l'hôpital Saint-Michel-Archange, pour ne plus y revenir.

En toute hâte, comme si je craignais que les autorités de l'hôpital ne reviennent sur leur décision, je m'habillai fébrilement, notant que je portais exactement les mêmes vêtements qu'à mon entrée au sanatorium Prévost.

À présent que la nouvelle était confirmée, que je partais pour de bon, je n'avais plus qu'une seule idée en tête: quitter l'institution au plus vite... et retrouver papa qui m'attendait au parloir. Au lieu de prendre l'ascenseur, j'empruntai l'escalier. Dans ma précipitation, ma petite

---

(1) Intervention neurochirurgicale consistant à sectionner des fibres nerveuses à l'intérieur du cerveau.

valise, mal fermée, s'ouvrit et tous mes effets s'épar-
pillèrent. Je ne contenais plus ma joie.

— Papa! papa! c'est fini!

Il était là et je me jetai dans ses bras. Cinq ans, déjà,
que mon cauchemar durait. Cinq ans que je ne pouvais
plus rattraper.

Au moment où je m'apprêtais à quitter le parloir, un
homme entra, que je reconnus. Je l'avais croisé quelques
années plus tôt dans des réunions sociales.

— Papa, c'est Arthur Leblanc, le grand violoniste.

Mon père le reconnut.

— Oui, c'est bien lui, dit-il, se rappelant certains in-
cidents fracassants qui avaient marqué la carrière
tumultueuse de ce grand musicien.

Je sortis, laissant derrière moi les plus tristes années
de mon existence.

Nous roulions doucement vers le domicile familial et
je regardais, avec émerveillement, comme l'enfant qui
découvre ses doigts, la vie s'ébattre dans un décor qui ne
m'était plus familier. Tout me semblait disproportionné,
un peu effrayant. J'étais sortie de la vie normale si
longtemps, que je me demandais combien de temps il me
faudrait pour me réadapter, reprendre le collier.

Le destin me proposait un nouveau défi. Ce ne serait
pas facile, car je devrais me battre contre les préjugés
enracinés dans l'esprit des gens. Mais j'étais décidée à
poursuivre ma carrière coûte que coûte, même si je devais
repartir à zéro.

CHAPITRE 9

Retour... et mariage raté

Amorcer une remontée, après une éclipse de cinq ans, tenait davantage du prodige que du défi. Je n'ignorais pas que je serais en butte, comme on me le fit voir à ma rentrée, à des quolibets d'un goût douteux. Au début, je fus prise de découragements profonds, je passai des moments très durs, j'eus à subir des confrontations douloureuses et humiliantes.

Un jour, au cabaret Montmartre, j'interrompis une chanson pour demander à des individus, attablés près de la scène, de parler moins fort. L'un deux, un malappris comme il y en a tant dans les cabarets, eut cette remarque désobligeante:

— Faut pas s'occuper d'elle, elle vient de sortir de l'asile où on l'a opérée au cerveau!

Je répliquai du tac au tac, au grand amusement de la salle.

— C'est vrai, j'ai subi une intervention chirurgicale au cerveau. Cela prouve que j'en ai un. Le monsieur, ici présent — je le montrai du doigt — qui fait beaucoup de tapage et dérange tout le monde, ne sera jamais opéré au cerveau. Mesdames et messieurs, vous avez parfaitement deviné pourquoi, ajoutai-je, en faisant un clin d'oeil complice au public.

117

l'insulter de certaine personne du public

A une autre occasion, me dirigeant vers ma loge, un fêtard refusait de me céder le passage, disant méchamment à l'adresse de ses compagnons:

— Vous savez, c'est une folle!

— Mon cher ami, je suis parfaitement saine d'esprit. J'ai même des papiers l'attestant, signés par les plus grands spécialistes. Voulez-vous me montrer les vôtres?

Ces escarmouches avec des imbéciles mal dégrossis, qui se trouvaient sur ma route, me faisaient mal. Combien de temps me faudrait-il pour renverser la vapeur? Mais les préjugés, à cette époque, étaient profondément enracinés dans les esprits. La méchanceté, je l'appris à mes dépens, restait l'expression des faiblesses de la nature humaine.

Mais les méchancetés étaient compensées par les gentillesses sans nombre qu'on me prodiguait. Par exemple, j'avais appris que l'honorable Albini Paquette, alors ministre de la Santé, était intervenu personnellement auprès des autorités médicales de l'hôpital Saint-Michel-Archange, demandant que l'on fasse diligence pour que j'obtienne des soins vigilants.

— Elle est une excellente ambassadrice du Québec, et il faut la remettre le plus tôt possible dans le circuit, disait-il, paternel, comme si Alys Robi eût été sa propre fille.

Il est vrai que j'étais très liée avec son fils Jean-Claude, docteur en médecine, ce qui expliquait probablement son intervention.

Je repartais à zéro, sans un cent, tous mes biens ayant été dilapidés durant mon internement. Il ne sert à rien, ici, d'accuser, de pointer du doigt ceux-là qui, profitant de ma maladie, me dépouillèrent lestement. Ils furent indignes de ma confiance et se révélèrent sous des dehors les moins flatteurs. C'étaient des escrocs habillés du manteau de la légalité, des vautours qui ne méritent que mon mépris.

En ma très longue absence, le monde que j'avais

quitté en pleine effervescence s'était transformé sous l'impulsion de nouvelles têtes d'affiche. Toujours à CKAC, Jean Duceppe et Pierre Beaudoin connaissaient un vif succès avec leur émission Battez l'atout, alors que le Père Marcel-Marie Desmarais, animateur de Coeur atout, innovait dans le secteur radiophonique, ce qui lui mérita une mention dans le Time Magazine.

L'émission d'Ernest Pallascio-Morin, Pacelli, le Magnifique, avait décroché le premier prix des émissions dramatiques lors de la remise des trophées annuels des Canadian Radio Awards.

Tout me surprenait, m'enchantait, ravivait mon désir de remonter la pente. À vingt-huit ans, ce n'était pas une chose impossible. Je regardais maintenant les gens et les choses avec des yeux différents. Cette nouvelle maturité, je la devais à la souffrance, un mot dont j'ignorais la signification quelques années plus tôt.

Messieurs Fernand Payette et Jos. Beaudry, propriétaires du Montmarte à Montréal, me firent confiance. Très gentils pour moi, impeccables sur toute la ligne, ils m'offrirent un cachet de $3 000 par semaine pour remonter sur scène et remplacer Mistinguett lorsque son engagement serait terminé au Montmartre.

— Mais je n'ai pas chanté depuis cinq ans, protestai-je, pour la forme.

— Alys, on vous fait confiance les yeux fermés! Nous aurons un spectacle du tonnerre si vous acceptez de prendre la relève de Mistinguett.

J'acceptai et je restai six semaines au Montmartre. Un triomphe! (Mistinguett et moi battîmes les records d'assistance dans ce cabaret.) «Un retour enthousiasmant, des parterres bienveillants, un redémarrage foudroyant», titrèrent les journaux de l'époque.

Je craignais que ces six semaines d'affilée au Montmartre n'hypothèquent ma fragile résistance, mais tout se passa bien. Messieurs Beaudry et Payette se montrèrent si disposés à m'aider que mes craintes s'envolèrent. L'espoir renaissait. Tout n'était donc pas perdu puisque le public me fêtait à nouveau, que les spectateurs du Montmartre s'étaient levés pour m'ovationner à plusieurs reprises. À la même période, je repris mes activités à la radio.

Ces premiers succès eurent des effets positifs sur mon état de santé général. Ils stabilisèrent un équilibre encore précaire et me redonnèrent confiance en moi-même.

Le succès attire le succès. À peine avais-je terminé mon contrat au Montmartre que les propositions affluèrent. J'étais la bête curieuse qu'il fallait montrer et on ne s'en priva pas.

Quel serait mon comportement sur scène? Allais-je craquer au beau milieu de mon numéro? Ces questions, je le savais, trottaient dans la tête du public.

Les années 50 ont vu proliférer les cabarets (les clubs, comme on disait), mais la Casa Loma était, et de loin, le rendez-vous et la Mecque des artistes de tout poil. Andy Cobetto, Emilio Bisanti et Forgues, les propriétaires de l'époque, administraient une "grosse affaire" qui marchait comme sur des roulettes.

Pour toutes sortes de raisons, 1953 fut une année importante dans ma vie. Étais-je satisfaite de moi? Pouvais-je craindre une rechute? Depuis ma "libération" de Saint-Michel-Archange, j'avais franchi presque tous les obstacles sans m'accrocher les pieds.

Mon angoisse, si pesante autrefois, si lourde à traîner, s'estompait, réapparaissait seulement dans les moments de grande tension. Étais-je complètement guérie? Oui, dans la mesure où je pouvais contrôler mes émotions et mon hypersensibilité. Je me consolais en me répétant que personne ne jouissait d'un équilibre parfait. Dans mon propre milieu, celui des artistes, les détraqués ne manquaient pas. Mais les problèmes des uns ne résolvaient pas les miens. Je me méfiais donc de ma sensibilité à fleur de peau, m'efforçant d'adopter, en toutes circonstances, une attitude plus rationnelle et moins émotive. Mais le coeur, dit-on, a des raisons que la raison ne connaît pas. Après mes spectacles, de retour à ma chambre de l'hôtel Lasalle, un sentiment de solitude s'emparait de moi.

Mon métier me comblait par certains côtés, mais je m'apercevais qu'il ne suffisait pas tout à fait à remplir un vide que les uns appellent l'ennui. J'allais avoir vingt-neuf ans et, hormis mon métier et quelques amis épars avec lesquels je partageais certaines confidences, ma vie sentimentale, brisée par cinq longues années de réclusion, s'acheminait vers un dessèchement progressif.

Au fond du coeur, je désirais trouver l'homme de ma vie, fonder un foyer et peut-être même avoir des enfants.

Le propre de l'être humain, c'est d'évoluer. Mes idées, arrêtées sur un certain nombre de choses, ne me semblaient plus aussi défendables. Dans la perspective évoquée plus haut, je fus heureuse qu'Angelo, premier garçon de table à la Casa Loma, me présente un Italien, un homme à l'allure distinguée, beau, grand et charmant. Nos fréquentations furent courtes: le temps de nous connaître, de nous estimer et de nous aimer.

Le 17 septembre 1953, sous une pluie de confettis et escortée de mes dames d'honneur, nous nous mariâmes à l'église Notre-Dame-de-la-Défense; la réception eut lieu à la Casa Loma, et je ne sais plus combien d'invités dansèrent tard dans la nuit, au rythme d'un orchestre que dirigeait Marcel Doré.

«Mais pourquoi un Italien?» m'ont souvent demandé des amis. Et je réponds, parce que c'est la vérité: «Ce sont les circonstances, car mon futur mari aurait pu être un Français, un Canadien français ou même un Espagnol. Mais il se trouvait là au bon moment, à la bonne heure. J'avais besoin d'un homme qui me rendrait heureuse et je crus le trouver en Aladino.»

Notre lune de miel ne dura pas. Peu après notre mariage, je découvris qu'il avait un fort penchant pour la dive bouteille, ce qu'il avait réussi à dissimuler durant tout le temps de nos fréquentations. Cette cruelle déception, ajoutée à toutes les autres, fit déborder le vase.

L'alcool a des effets différents chez le buveur. Les uns deviennent gais, les autres tristes... mais mon mari appartenait à la catégorie des violents. Il perdait toute maîtrise de lui-même, se jetait sur moi et me rossait, au point que la peur fit bientôt partie de ma vie quotidienne.

Il montrait aussi une jalousie intolérable. Il aurait voulu que je poursuive ma carrière sans regarder âme qui vive. Je l'aimais, lui aussi m'aimait, à sa façon, mais il m'aimait mal. J'essayai de toutes mes forces de le convaincre d'arrêter de boire. Jamais le dialogue ne fut vraiment rompu entre nous. Il promettait de s'amender, me demandait pardon, mais recommençait de plus belle.

Un soir, sous l'effet de l'alcool, il fit irruption dans les coulisses de la Casa Loma, défonça d'un coup d'épaule la porte de ma loge et me roua de coups. Heureusement, il fut maîtrisé et expulsé par le maître d'hôtel et les patrons de l'établissement. Une fois de plus, je fus hospitalisée pour coups et blessures.

Cela ne pouvait plus durer; mes problèmes conjugaux affectaient mon travail et ma santé. Combien de temps aurais-je le courage de tenir le coup? J'étais consciente que mon équilibre serait à tout jamais compromis si je ne prenais pas les moyens d'empêcher mon mari de me détruire.

Alerté, mon père accourut à Montréal. Il eut une longue discussion avec mon mari et nos affaires s'améliorèrent sensiblement pour quelques semaines. Puis, repris par son vice et ses fureurs, il se remit à cogner sur moi, oubliant les promesses, grossissant ma panique et me forçant à ne plus rentrer à notre domicile.

Une fois de plus, le sort s'acharnait contre moi. Alys

Robi, la chanteuse, pouvait réussir sa carrière, mais Alys Robi, la «petite Alys», n'avait pas droit à sa part de bonheur. Cela lui était refusé par un destin cruel et injuste.

Mon mari me harcelait de coups de téléphone et me menaçait de ses foudres. Je dus engager des détectives privés pour me protéger jour et nuit.

Désemparée, à bout de nerfs, je priai Dieu, une fois de plus, de venir à mon secours. Dans l'intervalle, on m'offrit un contrat à Val-Morin, dans les Laurentides, avec chalet fourni. J'acceptai avec joie, avec gratitude, car je voyais là l'occasion rêvée de me reposer et de trouver une solution à mon problème épineux à deux volets: mon mari et ma santé mentale.

Un soir, parmi les spectateurs, j'aperçus Monsieur Gérard Lévesque, avocat dans la Vieille Capitale, et l'un des piliers de la Fédération libérale du Québec.

Mon tour de chant terminé, je le rejoignis à sa table et nous discutâmes amicalement de choses et d'autres.

— Alys, tu sembles fatiguée. Des amis communs m'ont dit que ça n'allait pas très bien avec ton mari? ajouta-t-il, me posant la question sans me la poser.

Je lui confiai mes appréhensions, la douleur de perdre un mari que j'aimais encore, la crainte de basculer une fois de plus dans la grande noirceur, bref, je lui révélai que j'étais en pleine déroute.

Il tenta de me consoler et me redonna de l'espoir avec ces simples mots:

— Sais-tu, Alys, que tu peux faire annuler ton mariage par la loi civile et l'Église?

— Annuler mon mariage? Je ne comprends pas. Je suis catholique, je ne veux pas divorcer! protestai-je.

— Au moment de te marier, tu étais interdite, ajouta-t-il, précisant qu'il ne s'agissait pas d'un divorce, mais d'une procédure particulière. Si tu viens à Québec, passe à mon bureau, conclut-il, en me quittant.

Enfin, un coin du ciel s'éclaircissait. Il y avait une

porte de sortie. Il ne me restait plus qu'à prendre une décision.

Mon mari quitta Montréal pour aller travailler quelques mois dans l'Arctique, et je compris que je ne trouverais jamais une aussi belle occasion pour mettre de l'ordre dans mes affaires. Gérard Lévesque m'accueillit à bras ouverts, mit en marche les procédures, mais la mort vint le cueillir prématurément, à mon grand désarroi. Je perdais un ami et un conseiller et je ne savais plus à quel saint me vouer. Qui donc me tirerait l'épine du pied?

Peu après les funérailles de Gérard Lévesque, je fus mise en présence de celui qui prenait la relève du dossier, Maître Marcel Turgeon. Ce jeune avocat brillant, cultivé, très humain, sut tout de suite me mettre à l'aise. Il me donna l'hospitalité dans sa famille et cette halte, après tant de chocs successifs, me fit du bien. Je récupérai et j'attendis les événements de pied ferme.

Convoquée à Montréal, les procédures d'annulation ne traînèrent pas. En moins d'une heure, tout était bâclé. Je n'arrivais pas à croire que mon mariage était annulé.

Je réintégrai le domicile conjugal sur les conseils de mon avocat. Mes parents, conscients de la gravité de la situation, voulurent rester auprès de moi. Ils étaient là lorsque mon mari, de retour de l'Arctique, se présenta à notre domicile. Nous avions changé la serrure et il ne put entrer.

— Alys, laisse-moi entrer! suppliait-il.

— Va-t'en, c'est fini entre nous! Va-t'en, tu m'as fait assez de mal!

— Tu es ma femme, ouvre-moi!

— Je ne suis plus ta femme!

— Allons, ouvre-moi! Tu sais bien que tu es ma femme!

— Je ne le suis plus. Le tribunal a annulé notre mariage.

Derrière la porte, il tempêtait, criait:

— C'est de la blague, ouvre-moi, Alys!

Cette discussion à travers la porte ne pouvait s'éterniser. Je demandai l'aide des policiers, lesquels le sommèrent de quitter les lieux après qu'il eut pris connaissance de l'ordonnance du tribunal.

Beaucoup plus tard, il me téléphona, m'invita à dîner. Il m'aimait toujours, regrettait ce qui s'était passé. Je gardais dans mon coeur quelque chose de spécial pour lui, mais tout était fini.

— Non, je n'irai pas dîner avec toi. Restons-en là, de bons amis.

— Alys, je ne pourrai jamais oublier!

J'entrepris, par la suite, de présenter mon dossier au Tribunal eccclésiastique de Montréal, pour obtenir de Rome mon annulation.

Les procédures furent longues et laborieuses, mais quelques années plus tard, Rome m'accordait mon annulation et je me retrouvai libre devant Dieu et les hommes.

Ma vie a été une série de lourdes épreuves que le succès n'a pu me faire oublier. Au creux de la vague, quand les ténèbres m'enveloppaient, que mon esprit errait dans les labyrinthes obscurs de la névrose, je conservais assez de force morale pour garder intact l'espoir de guérir, mais je crois avoir payé très cher le droit d'avoir eu du succès dans un métier difficile et ingrat.

Néanmoins, malgré épreuves et revers, la scène m'a toujours attirée parce que je vécus là des moments exaltants comme nulle part ailleurs.

Le choix s'est toujours imposé à moi et j'ai toujours tout sacrifié à ce choix, pour lequel, psychologiquement, j'étais peut-être très mal préparée. Qu'importe! Ma vie, c'est la scène et la chanson, mon public et ses applaudissements et aussi, aléatoires que puissent être les succès que mon travail m'apporte, j'y tiens, que j'aie tort ou raison.

Après tout, je suis encore là, chantant devant un public qui m'apprécie et que j'aime.

À chaque fois que je monte sur scène, j'aime lui donner le meilleur de moi-même en chantant l'amour et le rêve.

ÉPILOGUE

La vie de chaque être humain est un drame dont chacun tire le meilleur parti possible. Un drame autant par ce que l'on sait que par ce que l'on ne sait pas.

Si j'avais su ce qu'était la médecine psychiatrique du temps, jamais je n'aurais confié ma santé à des gens pour qui les problèmes psychologiques et la détresse nerveuse étaient sujets à caution, de la part de la société québécoise et de sa médecine.

Traiter les malades comme on les traitait dans le temps était indigne d'un pays dit civilisé. Ce n'était pas des soins pour guérir qu'on distribuait, mais de l'incarcération à vie sans procès. Ceux qui en réchappaient étaient rares.

Ne pas expliquer à un malade lucide la teneur du traitement qu'on veut lui imposer, le contraindre à des chocs électriques, à des opérations comme la lobotomie sans sa permission ni celle de ses parents est un crime.

Quant à faire appel à un avocat, il ne fallait même pas y songer un instant. L'interné n'avait plus, à toutes fins utiles, de droits civiques à exercer.

La façon dont les malades étaient traités dans un hôpital psychiatrique comme Saint-Michel-Archange était tout simplement ignoble. Les choses se sont certes améliorées. Dans le temps où j'y suis passée, on utilisait les patients comme des cobayes dont la moindre révolte devait être sévèrement punie comme s'ils étaient des criminels.

Le personnel hospitalier subalterne était recruté à la va-comme-je-te-pousse sans qualifications réelles. Une personne entrait au sanatorium Prévost, pour une maladie nerveuse, passait à la clinique Roy-Rousseau et finissait à Saint-Michel-Archange où elle attrapait une psychose bon gré, mal gré, même si elle ne souffrait pas de malaise psychosomatique au départ.

La moindre réaction d'angoisse servait de prétexte et justifiait une longue incarcération, même contre la volonté de la famille et même si le malade ne présentait aucun danger pour la société.

Aujourd'hui, heureusement beaucoup de choses ont changé grâce aux pressions de l'opinion publique. Une poursuite en justice serait logée si on soignait les malades nerveux ou mentaux comme on les soignait dans le temps.

Que pouvait faire celui ou celle que l'on avait interné par erreur ou volontairement pour des buts souvent inavouables à Saint-Michel-Archange ou à Louis-Hyppolite-Lafontaine? (autrefois Saint-Jean-de-Dieu). Prier pour que le pire n'arrive pas, ne jamais contredire le personnel médical, se soumettre à une discipline humiliante, espérer que des gens de l'extérieur s'occupent de son cas et qu'ils soient assez tenaces, assez instruits pour avoir quelque influence sur cette bande d'abrutis qui se considéraient comme des praticiens qualifiés et dont l'ignorance était à la hauteur du mépris qu'ils entretenaient pour leurs malades les plus lucides et intelligents.

Cependant, je veux souligner que le neurochirurgien, qui pratiqua sur moi une lobotomie était un médecin responsable et compétent selon la LOI. Merci, Dr Jean Sirois. Votre humanisme était évident (sic!). N'ai-je pas gardé intacte ma sensibilité?

BARRYMORE'S
PRESENTS

'Folies
Modest'

A THERESA CARON
PRODUCTION

PEACHES LATOUR
REVIEW OF FASHIONS

Alys Robi GUEST STAR

Sponsors:
LA CLIQUETTE • SPOTLIGHT
RHAPSODY RAG MARKET
CLASSY FORMAL WEAR
CHAUSSURES CHATEAU SHOES
APHRODITE BEAUTY SALON
SALON JEAN-YVES
NEW YORK NEW YORK (WIG SERVICE)

MAR. 18~19~8 p.m.
$8% AT BARRYMORE'S
OR THE ABOVE

J'avais neuf ans, je donnais déjà des spectacles depuis l'âge de quatre ans, et j'ignorais ce qu'était l'existence d'une enfant ordinaire.

Chez mes parents, domiciliés au 15, rue Sainte-Thérèse, dans la paroisse de Saint-Sauveur, à Québec, il y avait un vieux piano avec lequel je passais des heures interminables. Il était à la fois mon jeu préféré et mon confident.

Gérard, mon petit frère bien-aimé, peu de temps après son accident. Déjà, la maladie commençait à le miner.

Adolescente, j'étais déjà une femme que les hommes disaient désirable.

À seize ans, au cours d'une tournée, Olivier Guimond, fils, me prit par la main sur une plage. Ce fut mon premier amour.

Olivier et moi, à une époque où tout semblait nous sourire. Nous vécûmes quelques années un bonheur paisible. Puis, sans éclat, je le quittai avec regret pour suivre mon destin.

Un premier disque appelé *Tico, Tico* qui eut un succès retentissant.

En 1948, je participai à la revue *Ça atomique t'y*, présentée par le regretté Henri Deyglun. Ce fut un triomphe... et j'eus ma très large part d'applaudissements.

Encore toute jeune, des perspectives réjouissantes s'ouvraient pour moi. Débordant le cadre du Québec, j'entrepris de conquérir le public anglophone, celui du Canada anglais et des États-Unis.

En pleine gloire... peu de temps avant mon départ pour Hollywood.

Cette photo fut prise au moment où ma carrière atteignait des sommets.

Londres, à la BBC: première mondiale de la télévision britannique. J'étais la vedette de l'émission.

Et je partis pour le Mexique, à la conquête d'un autre public. La gloire s'attachait à mes pas. Et je me disais, confiante: «The sky is the limit.»

En 1944, à l'âge de vingt et un ans, je m'embarquai pour la France et l'Angleterre. La Deuxième Guerre mondiale tirait à sa fin et beaucoup de militaires canadiens cantonnés en Europe venaient écouter, là où je chantais, une petite Québécoise qui les rendait nostalgiques.

Premier départ pour l'Europe: mes parents me firent des adieux déchirants. Pour eux, j'allais au bout du monde, dans des pays pleins de pièges et de dangers.

1948: un accident d'automobile va transformer peu à peu le cours de ma vie.

Dans une comédie musi-
cale jouée au Radio City
Music Hall, à New York,
je tenais le rôle d'une Ja-
ponaise.

Je fis longtemps
les beaux soirs
de la célèbre
Casa Loma, une
boîte qui vit
défiler les plus
grands artistes
internationaux.

Je fêtais mes vingt-cinq ans de vie artistique en compagnie d'un groupe d'amis. Dans l'ordre habituel, Fred Spada, Henri Forgues, copropriétaire de la Casa Loma, Mesdames Cobetto et Forgues, Andy Cobetto et Yvon Robert, célèbre lutteur décédé prématurément.

En compagnie de deux grands et sympathiques copains: Maurice Richard, gloire nationale, et Yvon Robert.

À ma sortie de l'hôpital Saint-Michel-Archange, après cinq années d'un véritable enfer.

Une photo prise au sanatorium Prévost, à l'époque où tout a craqué.

Fiançailles: j'étais heureuse, croyant avoir trouvé l'homme de ma vie.

1945: je remporte le trophée Laflèche en qualité de chanteuse la plus populaire du réseau français et anglais de Radio-Canada.

Avec André Rancourt, lors du Gala des Artistes, en 1945.

Lancement d'un disque et bain de foule avec de jeunes admirateurs, en 1944.

Au 15e anniversaire de CKVL, avec le joueur de hockey «Boom Boom» Geoffrion, un ami de vieille date.

Alys Robi

Photos d'époque. Malgré les difficultés de parcours, mon public me restait fidèle.

Chez Gérard, la boîte à la mode de la Vieille Capitale, avec Gilbert Bécaud qui commençait tout juste à conquérir le public québécois.

Juliette Pétrie, une grande amie qui m'a beaucoup aidée.

Images d'aujourd'hui. Rien ne fut facile, mais je ne regrette rien. Ce qui devait m'arriver était écrit dans le ciel. Que de tourments dans une si courte vie! Cependant, jamais le courage ne m'a abandonnée.

En 1963, des amis organisèrent une grande fête pour souligner mes vingt-cinq ans de vie artistique. Ce furent des heures inoubliables.

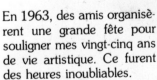

Ma mère, à quatre-vingt-huit ans, toujours ma plus fidèle amie.

La vie nous apprend une chose importante: l'humilité.

Avec l'âge, je me suis réconciliée avec la vie et avec moi-même. On ne vit pas de regrets, mais d'espoir.

Peut-être, un jour, se souviendra-t-on de la «petite Alys» qui sacrifia tout à son métier.

Achevé d'imprimer sur les presses de
L'IMPRIMERIE ELECTRA*

*Division de l'A.D.P. Inc.

Imprimé au Canada/Printed in Canada